INTRODUCTION A LA POÉSIE MODERNE ET CONTEMPORAINE

Extrait de notre catalogue

Claude Abastado, *Introduction au surréalisme.*

Jean Batany, *Le Français médiéval.*

Daniel Bergez, *L'explication de texte littéraire.*

Fernand Carton, *Introduction à la phonétique du français.*

Frédéric Cossutta, *Éléments pour la lecture des textes philosophiques.*

André Lanly, *Fiches de philologie française.*

Dominique Maingueneau, *Éléments de linguistique pour le texte littéraire.*

Claude Scheiber, *La Dissertation Littéraire.*

Catherine Wieder, *Éléments de psychanalyse pour le texte littéraire.*

INTRODUCTION A LA POÉSIE MODERNE ET CONTEMPORAINE

par DANIEL LEUWERS

avec la collaboration de
JEAN-LOUIS BACKÉS

En couverture

Fée aux griffons, aquarelle
Gustave Moreau (1826-1898)
Musée Gustave Moreau, Paris

Ph. Jeanbor © Archives Photeb

ISBN 2-04-018773-1

Table des matières

Introduction 1

I. La poésie des origines 3
1. Les noms du poète 3
2. Poésie et religion 5
3. La poésie orale 7
Le public — L'épopée — La langue de l'épopée — Auteurs et interprètes — Le poème dramatique et la tragédie

II. Fondements et fonctions du langage poétique 13
1. Principes d'analyse aristotéliciens 13
Fonction métaphorique de la poésie — La poésie comme écart — Dialectique interne de la métaphore
2. La spécificité du langage poétique : Jakobson 18
Facteurs et fonctions — La poéticité
3. Contestations modernes de la métaphore 22
Guillevic — Bonnefoy

III. Le classicisme 25
1. Classiques et préclassiques 26
Avatars de la notion de classicisme — Malherbe vint — Un préclassicisme affranchi
2. Le classicisme 29
Boileau — Ébranlement de l'édifice classique

IV. Romantismes 33
1. Contre-révolution et premier romantisme 33
Le poète, hérault du christianisme — Lamartine
2. Victor Hugo et le second romantisme 35
La fonction du poète — Le don visionnaire — Doctrines de l'âge romantique

V. Naissance de la poésie moderne 39
1. Baudelaire 40
Le parti pris du mal — L'angoisse — Inconnu et imprévu — Éternel et transitoire
2. Rimbaud 45
La révolte — « Dérèglement de tous les sens » — « La réalité rugueuse à étreindre » — Provocation et frustration
3. Mallarmé 48
Donner « un sens plus pur aux mots de la tribu » — Transposition et structure — Un coup de dés...
4. Qu'est-ce que le symbolisme ? 54
Le Manifeste de Moréas — Récupération et contestation de Mallarmé — Des formules diverses — Dépasser le symbolisme : l'Abbaye et l'Unanimisme

VI. Le siècle nouveau et les avant-gardes 59
1. L'Expressionisme allemand 59
2. Le Futurisme italien 61
Les Manifestes de Marinetti — Une question troublante
3. Le Futurisme russe 64
Khlebnikov — Le Zaoum — Maïakovski
4. Le mouvement Dada 68
Le cabaret Voltaire — Un nihilisme ravageur
5. Apollinaire 73
Les Calligrammes — La poésie assassinée — Parallèlement Cendrars

VII. Le Surréalisme 77
1. Expériences médiumniques 78
2. Le Manifeste de 1924 81
Imagination et folie — Contre le réalisme —

L'exploration du rêve — Pratique de l'écriture automatique

3. L'image surréaliste 89
L'image selon Breton et selon Reverdy — Le « stupéfiant-image » (Aragon)
4. Émancipation, subversion du langage 92
La révolution surréaliste — Le surréalisme au service de la révolution

VIII. Les mutations. La poésie contemporaine 101

1. Poètes du signifié 101
Char — Frénaud — Bonnefoy — Jaccottet
2. Poètes du signifiant 108
Cratyle et Hermogène — Jouer de l'arbitraire des mots — Queneau et l'Oulipo — L'originalité de Ponge — Tortel et les solutions aléatoires — Les transgressions d'Henri Michaux
3. La modernité en quête d'elle-même 117
De l'illisibilité au « rythme » — Rupture et continuité — Marges et fragments

IX. Le métier poétique 125

1. Une versification moderne ? 125
2. L'héritage médiéval 128
Discours et chanson — Ballade et rondeau
3. Le système classique 133
Règle de l'alternance dans les rimes — La concordance entre mètre et syntaxe — Les vers mêlés — Les petites règles — La césure
4. La dislocation du système classique 146
Recherches de discordances — Assouplissements et subtilités — La libération du vers — La fin du code répressif
5. De nouveaux types de vers ?..................................... 153
Le vieil Alexandre... — Le décasyllabe — Allongements — Le vers approximatif — Le vers libre — Le problème du verset — Le blanc métrique — Vers « réglés » et rythme — La strophe ou quasi-strophe

6. Les aventures de la rime 167
Les « torts de la rime » ? — Déplacements de la rime — Le recours aux jeux typographiques
7. Du vers libre au poème en prose 173
L'exemple de Saint-John Perse — Le poème en prose — Lectures

Bibliographie 179

Index 187

Introduction

Il est de beaux livres qui se sont efforcés de retracer l'histoire de la poésie française moderne, de Baudelaire au surréalisme ou du surréalisme à ce qu'il est convenu d'appeler « l'extrême-contemporain ». Mais dès lors que l'histoire littéraire a commencé à péricliter, les théoriciens ont eu tendance à ne privilégier que la spécificité du fait poétique et à établir des « grilles de lecture » plus ou moins minimalistes, sans toujours tenir compte de l'évolution des poétiques et de leurs contestations internes.

Il était peut-être temps qu'un livre accordât une place égale à l'histoire poétique et à la théorie littéraire, non seulement pour rétablir un équilibre – de toute façon, instable –, mais également pour inscrire le fait poétique dans une dynamique historique qui ne lui est guère étrangère. Cependant, plus encore qu'à l'histoire littéraire et qu'à la théorie, il convenait assurément de donner ou de redonner la parole aux poètes eux-mêmes. Car il est clair que, depuis Baudelaire, et pour reprendre la pertinente formule de son étude sur *Richard Wagner*[1] : « Tous les grands poètes deviennent naturellement, fatalement, critiques ». Et Baudelaire d'ajouter : « Je plains les poètes que guide le seul instinct, je les crois incomplets ». Dès la seconde moitié du dix-neuvième siècle, la poésie française est de plus en plus devenue une métapoésie avide d'être une réflexion sur elle-même ainsi que sur les poétiques qui l'ont précédée ou qui lui font simplement escorte.

Le présent ouvrage accorde donc une large place aux écrits critiques des poètes, qu'ils prennent la forme d'« arts poétiques » ou de « manifestes », ou bien qu'il s'adonnent à l'explicitation de

---

1. *Œuvres poétiques*, tome 2, *Richard Wagner et « Tannhäuser » à Paris*, Bibliothèque de la Pléiade, 1985, p. 793.

leurs secrets de « fabrique ». Au nombre de ces textes critiques, il en est de majeurs – et de célèbres – comme les lettres dites « du voyant » d'Arthur Rimbaud ou les *Manifestes du surréalisme* d'André Breton, mais il en est également de plus souterrains qui tendent d'ailleurs à se confondre avec l'œuvre même des poètes.

S'il est vrai qu'une poétique peut découler d'une pratique scripturale, il est encore bien plus courant, au XXe siècle, qu'elle l'annonce. Il faut alors ne point perdre de vue que la poétique la plus solidement échafaudée court toujours le risque d'être démentie par l'œuvre qu'elle croit parrainer. Il en est ainsi des poétiques comme des poèmes : elles peuvent être réussies ou manquées.

Dernier point : les visées de la poésie française moderne et contemporaine se devaient de ne point être coupées de la forme dans laquelle elles s'inscrivent. Le chapitre IX, intitulé « Le Métier poétique » et rédigé par Jean-Louis Backés, tient compte, avec pragmatisme, de l'essentielle complémentarité de ce qu'on a longtemps appelé le fond et la forme.

Ce livre n'est ni une théorie d'ensemble ni un panorama complet de la poésie moderne (certains poètes et certaines œuvres ont ici, parfois servi d'exemples ou de phares, au détriment d'autres, avec un inévitable arbitraire). Loin de proposer d'illusoires « clés » de lecture, il cherche seulement à faciliter l'accès à un genre littéraire trop souvent considéré comme difficile ou nébuleux. Or, la poésie moderne, dès lors qu'elle s'est distancée, dans la foulée de Mallarmé, du large public qu'elle avait conquis à l'époque romantique, s'est trouvée à même d'être plus aventurière et novatrice que la prose romanesque.

La poésie ne serait-elle pas le genre littéraire le plus vivant du XXe siècle, comme le roman l'a été au XIXe siècle et le théâtre au XVIIe siècle ? On ne serait pas loin de le soutenir. Puisse, du moins, ce livre en fournir quelque preuve tangible.

Daniel Leuwers.

I. La poésie des origines

1. Les noms du poète

Au fil de l'histoire, le poète s'est vu attribuer différents noms. Ils méritent d'être pris en considération tant ils reflètent la conception que l'on a pu avoir de l'art poétique à des époques et dans des lieux différents.

a. Dans la Grèce primitive, le poète était désigné sous le nom d'« aède » (de *aoidos* = chanteur). Il représentait un artiste « inspiré » qui, accompagné d'un instrument (le plus souvent, une lyre) chantait les aventures et les exploits des dieux et des héros. L'« aède », qui se produisait lors de réunions ou de concours de chant, était à la fois poète et récitant – ce qui le distinguait du « rhapsode », cantonné dans la seule fonction de récitant. Le poète Homère était un « aède ». De ce mot est dérivé l'*odé* (= le chant) qui donne en français l'ode, forme particulière du poème, et l'« odéon », cet édifice public prévu initialement pour l'audition de récitations et d'exécutions musicales.

b. En latin, *vates* désignait un devin et, appliqué au poète, assignait à la poésie une fonction proprement sacerdotale qui consistait à émettre des paroles prophétiques sous l'action d'une inspiration divine. Le *vates* était l'interprète direct d'un dieu, ce qui le distinguait du prêtre, chargé ordinairement de gérer une révélation reçue antérieurement. Cette conception de la poésie a été revendiquée par les poètes de la Pléiade et surtout du romantisme. Chez les Latins, Virgile est le représentant majeur de cette tendance. Avec lui, le poète appartient au « *genus irritabile-vatum* » – une espèce humaine sacrée qui a une vocation spéciale, qui est sujette à des accès de fureur poétique, mais qui est également parfois susceptible de susciter la fureur de ses concitoyens !

Dans un de ses premiers poèmes composés en latin, Rimbaud écrit significativement : « *Tu vates eris* » : tu seras un poète...

Quant au mot « poète » lui-même, il est formé sur le verbe grec *poeïn* (= faire, créer). L'étendue sémantique de ce verbe va de « enfanter » à « fabriquer un objet » – d'où il ressort que le poète est celui qui a créé une œuvre vive à partir d'une matière qui est le langage.

c. Très proches sont les termes de « trouvère » et de « troubadour » qui auront cours au Moyen Age et qui sont formés sur le même verbe *tropare* (latin populaire) qui a donné « trouver », inventer. Les « jongleurs » leur ont ouvert la voie. Bateleurs ambulants dont on trouve mention dès l'époque gallo-romaine, ils disaient des vers, accompagnés d'une vielle. L'art de composer ces vers appartenait aux « trouveurs ». Certains d'entre eux se sont contentés de mener une vie errante, tel Colin Muset. D'autres se sont attachés à la cour de grands seigneurs comme Robert d'Artois ou Charles d'Anjou ; c'étaient alors des « ménestrels », terme qui désignait au XIIIe siècle des musiciens de basse condition. Ils voulaient plaire au monde aristocratique en cultivant une poésie raffinée et un art musical savant. A leur instar, de grands seigneurs se sont parfois mis à composer ; ce fut le cas, entre autres, de Conon de Béthune et de Thibaud de Champagne.

L'art de composer était monodique, et la poésie s'assimilait à une sorte de système mnémotechnique élémentaire. La poésie était le support conventionnel de tout ce que les hommes ne devaient pas oublier – un moyen de donner de solides assises à la mémoire orale.

En France, les premiers chants (en latin) furent ceux des « bardes » gaulois – d'inspiration bachique et satirique – et les chants d'Église. Les « troubadours » se sont vite distingués des « jongleurs » en empruntant des sentiers plus intellectuels, mêlant le goût aristocratique à la recherche ésotérique. Les formes lyriques se multiplieront, incluant la chanson, la ballade, le rondeau, le lai, le virelai, la pastourelle. Mais aux chants monodiques se substitueront peu à peu des compositions polyphoniques qui fleuriront surtout au XVIe siècle. La rupture sera dès lors consommée entre la chanson et la musique.

Le nom de « poète » a toujours été plutôt valorisant, surtout quand s'est attachée à lui une connotation magique et prophétique. On l'écrivit longtemps « Poëte » – avec un tréma seigneurial (que Mallarmé revendiquait encore), rappel de sa riche étymologie. Mais l'extinction progressive de la poésie conçue comme un oracle ou une dictée de Dieu a désacralisé le mot, et l'on a dès lors pu se moquer du « pouète-pouète », ou esquisser, comme Raymond Queneau et, à sa suite, Michel Deguy, les aventures sarcastiques de « Po » et de « Sie », membres soudain déchirés d'une entité trop longtemps considérée comme intangible et intouchable…

2. Poésie et religion

Au nombre des grands moments de l'histoire des civilisations, il y a l'apparition de l'écriture – puis l'invention de l'imprimerie. La poésie en subira, bien sûr, les contrecoups.

Force est, en tout cas, de constater que dans les civilisations archaïques sans écriture, le groupe social était particulièrement contraignant. Il incluait des relations au surnaturel régies par le culte de forces identifiées et répertoriées dans une représentation du monde. Tout rite impliquait que le langage fût détourné de sa fonction ordinaire, et c'est au sein de pratiques religieuses que l'homme prit conscience des pouvoirs du langage comme objet de plaisir et de méditation. Mais la littérature a, au fil de son histoire, eu la possibilité d'adopter des attitudes divergentes, voire antinomiques, à l'égard de la religion. Si le poète allemand Novalis a écrit que « le vrai poète est toujours resté prêtre », Arthur Rimbaud inscrivait, lui, « Merde à Dieu » sur les bancs de Charleville. Les rapports entretenus par la poésie avec la religion et les valeurs transcendantes en général sont essentiels pour la bien cerner.

Il y aurait, selon Paul Bénichou, deux modèles différents de la littérature :

> « le modèle grec, où la littérature agit avec une relative indépendance, sur un mode profane, face à une religion spirituellement peu contraignante ; le modèle juif, où l'écrit ne se conçoit guère qu'en accord étroit avec une notion régnante du divin ».

(*Le Temps des prophètes. Doctrines de l'âge romantique*, Gallimard, Paris, 1977).

Chez les Grecs, le poids des dieux n'est pas toujours écrasant. S'il l'est dans le théâtre d'Eschyle, il l'est beaucoup moins dans celui de Sophocle, et c'est l'homme qui se prend en charge dans celui d'Euripide – decrescendo significatif.

La Grèce a par ailleurs ménagé un bel équilibre entre le philosophe et le poète ; le premier est, certes, maître des vérités qu'il enseigne, mais le poète a l'avantage de les tenir d'une source plus haute. D'un côté le sage, de l'autre l'homme inspiré – mais la divinité qui l'inspire n'a rien de contraignant et laisse libre cours au génie du poète.

Sur ce point, les Latins ne feront que répéter les Grecs. C'est le triomphe du christianisme qui va soudain rendre la littérature tributaire d'une orthodoxie qui aura tout un corps sacerdotal comme garant et gardien. Les perspectives changent alors complètement. Les textes sacrés deviennent le modèle de toute rhétorique, et les livres poétiques de l'Écriture font autorité et sont même des modèles patentés. L'inspirateur des poètes, c'est le Saint-Esprit.

Le modèle juif a eu une emprise considérable pendant des siècles, et il demeure aujourd'hui encore assez vivant, non seulement auprès des poètes chrétiens mais aussi de tous ceux qui recourent à une transcendance – « Dieu caché » aux multiples visages.

Ce modèle juif n'en a pas moins subi des contestations internes au fil de l'histoire. C'est ainsi qu'aux XVIe et XVIIe siècles, les écrivains ont eu tendance à ne revendiquer l'inspiration divine que pour se distinguer du commun des mortels. La théologie eût aimé les cantonner dans un rôle de simples chantres, mais les poètes s'y soustrayaient en affichant leur prééminence, ce qui était une façon habile de supplanter les prêtres sans sortir du cadre chrétien...

Il faut reconnaître qu'une telle attitude a pu connaître quelques beaux jours dans la mesure où elle ne gênait guère les puissants de ce monde. Car si le poète concurrençait le prêtre et mordait sur son terrain, il ne cherchait par ailleurs qu'à être le conseiller des princes et leur confident. Mais dans ces incessants jeux de bascule, personne ne triomphait jamais réellement.

La floraison de poésie profane qui s'épanouira sous divers masques religieux finira d'ailleurs par profiter au dogme qui se réservera les problèmes essentiels de la destinée de l'homme et de son salut. La poésie n'aura dès lors plus qu'à enseigner les simples vertus du monde. Le bras de fer entre la religion et la poésie aura duré des siècles, avec des périodes d'accalmie, d'accord réel ou apparent, puis des moments d'affrontements, insidieux souvent, et, peu à peu, de plus en plus franchement assumés, jusqu'à la célèbre formule de Nietzsche : « Dieu est mort »...

3. La poésie orale

S'il est loisible de penser que les premières formes de poésie ont été orales, encore ne faut-il pas perdre de vue que l'univers de l'écriture et celui de l'oralité sont voués à s'interpénétrer. Sous les mots écrits, la voix aspire, en effet, toujours à se faire entendre et à retrouver les pouvoirs intacts de son émission. C'est le cas, par exemple, de la poésie africaine d'expression française. Un poète comme Léopold Sédar Senghor laisse entendre dans ses textes écrits le tam-tam et la psalmodie de ses ancêtres sénégalais, tandis qu'avec Aimé Césaire perce, à travers les mots, la sonore présence d'une « Martinique charmeuse de serpents[1] » (pour reprendre le beau titre d'André Breton).

Il faut également considérer que la récupération par l'écrit de poèmes qui furent longtemps de pure tradition orale ne met pas fin pour autant à celle-ci. D'ailleurs les poèmes oraux n'ont pas manqué de subir à leur tour l'influence de procédés propres à l'écriture. Les interférences sont multiples.

Mais l'important est surtout de savoir en quoi une voix peut être dite poétique, et pourquoi l'on est fondé à parler de poésie orale. Pour qu'il y ait poésie, il est indispensable que la voix obéisse à une structuration intentionnelle et qu'elle s'adresse à un groupe dont elle épouse la conscience culturelle, voire la mémoire collective. Soulignons cette différence capitale : le message oral nécessite un auditoire, tandis que le message écrit peut être reçu dans la solitude.

1. Paris, « 10/18 », 1973.

Le public

L'oralité ne fonctionne qu'en rapport avec un groupe socio-culturel défini. De plus, la structuration poétique orale opère moins à l'aide de procédés grammaticaux que la poésie écrite ; elle repose essentiellement sur des effets de dramatisation du discours. Le poète oral implique tout son corps en même temps qu'il cherche à travailler et à séduire le « corps » de la collectivité. Il implique tellement son corps que certaines formes poétiques chantées appartiennent à un sexe bien déterminé. C'est ainsi que la femme a plutôt pour registre les variantes du « papotage » ou de la « litanie », tandis que l'homme se réserve le domaine de la persuasion, de la séduction amoureuse, voire celui de la ruse et de la rouerie. Certains publics spécifiques exigent un chanteur déterminé : ainsi c'est la mère qui chante les berceuses à l'adresse des enfants.

Une des forces qui constitue la poésie orale est son souci de s'identifier au groupe social auquel elle s'adresse, mais aussi à son désir de conservation : par le culte des ancêtres et par l'exaltation de la guerre. Ce qui n'empêche point la poésie orale de célébrer les événements simples de la vie, comme la naissance, l'amour et la mort. Si ces finalités de la poésie orale peuvent être conçues au premier degré, elles sont également susceptibles de modifications à l'infini. L'ironie et la parodie peuvent s'immiscer dans le discours poétique et le douer de profondeur en le faisant prendre conscience de lui-même. Cette profondeur est d'ailleurs parfois assurée par la modalité du chant lui-même ; c'est le cas du chant alterné entre un soliste et un chœur. Dans son magistral ouvrage, *Introduction à la poésie orale*[1], Paul Zumthor fait observer qu' « historiquement, on peut tenir pour assuré que l'usage du refrain constitue un des traits spécifiques d'oralité ».

L'Épopée

Le genre poétique oral le mieux circonscrit est l'épopée. Pour l'Occident, c'est un genre primordial, et l'*Iliade* et l'*Odyssée* posent toutes les fondations de la poésie gréco-latine. L'épopée

1. Paris, Le Seuil, 1983.

est un récit d'action qui met en relief le combat viril au service d'un grand dessein.

La figure du vainqueur, être hors du commun, sort magnifiée de la lecture de l'épopée. S'agit-il forcément d'un guerrier ? Ce héros est-il mu par une philosophie ou par des valeurs religieuses ? Tout cela dépend du lieu culturel où l'épopée prend naissance.

En tout cas, l'épopée se distingue toujours par sa longueur et elle vise à préserver le souvenir d'un passé qui risquerait de basculer dans l'oubli. Bien plus : l'épopée réorganise le passé en fonction du présent et donne une légitimité à ce présent.

Déclamée exclusivement par une voix masculine, l'épopée relativise le tragique et veut instruire par la joie. Elle a une fonction pédagogique et éthique : elle pose un modèle d'action et appelle à l'héroïsme. Le héros épique fait de la guerre une réalité quotidienne et se met au service d'un nationalisme avant la lettre. L'*Iliade* et l'*Odyssée* et, à un moindre degré, l'*Énéide* sont des modèles parfaits de l'épopée ; leur composition a beau être truffée de digressions savantes, ces textes sont mus par une unité organique qui tient rigoureusement en main les moindres éléments développés ou esquissés.

Mais l'épopée, c'est également *La Chanson de Roland*, le *Romancero* espagnol, la *Franciade*, *La Jérusalem délivrée* du Tasse, qui représentent une forme de littérature engagée. Le sens du devoir et de l'honneur, les valeurs religieuses et chevaleresques, l'éloge de l'amour (surtout au Moyen Age sous l'égide de l'amour courtois) s'imposent alors comme les moteurs de l'épopée.

La langue de l'épopée

L'épopée est certes un genre oral mais qui s'accommode très bien de l'écriture. La poésie orale et la poésie écrite usent, à travers elle, d'une langue identique qui se caractérise par trois traits majeurs : une tendance à juxtaposer plutôt qu'à coordonner les éléments syntaxiques ; une magnification du nom propre et du pouvoir magique dont il se trouve investi ; un renforcement de tous les échos sonores pour accuser la scansion des rythmes. Aussi l'épopée, lorsqu'elle est écrite, l'est en vers, avec une prédilection pour les répétitions, ainsi qu'en témoigne encore la *Légende des siècles* de Victor Hugo, au XIXe siècle.

Paul Zumthor relève que « toutes les cultures ont créé, en manipulant les éléments sonores de la langue naturelle, un niveau auditif second du langage, dont quelque artifice ordonne les marques rythmiques ». Ce niveau auditif second peut-il être identifié avec le vers lui-même ? Ce serait, pour Paul Zumthor, aussi déraisonnable que de dire que la poésie orale a besoin du vers pour être mémorisable ! En fait, la distinction entre le vers et la prose n'a lieu d'être que dans l'écriture, et la question des rythmes oraux dépend de paramètres difficiles à établir et à classifier, car, en plus de la voix, la poésie orale implique le geste du visage, du buste, du corps tout entier, qu'il soit paré ou non. Et puis il y a le décor, l'instauration du rite, le cérémonial de la fête.

Auteurs et interprètes

Une question se pose aujourd'hui, qui ne se posait pas à l'origine : le poète, est-ce celui qui dit le poème oral ou est-ce celui qui l'a composé ? Il peut être bien sûr – et il est souvent – les deux à la fois. Mais il est certain que, dans la poésie orale, le rôle du diseur ou de l'exécutant compte beaucoup plus que celui du compositeur. « Référer à l'auteur est érudition de lettré », souligne Paul Zumthor.

L'anonymat ne gêne ni ne frustre le poète oral, car son poème est conçu comme un don à la communauté qui le conservera, le préservera puis le lèguera aux générations suivantes. Il y a là une différence abyssale avec le poème moderne conçu comme un bien identifiable (la signature sur la couverture du livre) et relevant du droit d'auteur –privilège réservé au seul domaine de l'écriture. Entre le poème écrit et le poème oral, il y a un écart comparable à celui qui sépare la musique classique (où le compositeur a laissé une partition et lui a imposé sa griffe) et le jazz (où les *blues* et les *negro-spirituals* surgissent, pour la plupart, de l'anonymat et sont librement réinterprétés par le soliste). Dans la musique de jazz, l'important est moins le compositeur (le plus souvent inconnu) que « l'improviste » – pour reprendre le terme d'un poète contemporain, Jacques Réda. Éternel débat entre une poésie figée dans l'écriture et fixée par elle, et une poésie qui aspire à la voix et au partage convivial. D'aucuns diront : entre la poésie écrite et la chanson.

Le poème dramatique et la tragédie

En tout cas, il est certainement hasardeux de voir dans l'épopée un genre générique. Force est de constater qu'on ne trouve guère d'épopée dans l'Égypte des Pharaons. L'épopée n'est donc pas un produit spontané des peuples, comme le XIXe siècle l'a trop complaisamment affirmé. La poésie ne trouve peut-être pas sa source majeure dans l'épopée, mais plutôt dans la tragédie.

Rappelons que, durant l'âge d'or de la Grèce classique, avait lieu, chaque année, pour les fêtes de Dionysos, une épreuve où s'affrontaient trois poètes tragiques, sélectionnés par les plus hauts magistrats. Soudain, la cité grecque se transformait en théâtre et se mettait pour ainsi dire elle-même en scène dans un spectacle ouvert à tous. Les poètes donnaient à voir le déroulement entier d'un acte.

Ce qui aujourd'hui saute aux yeux, c'est que la tragédie grecque puise au même fonds que l'épopée et qu'elle privilégie le culte des héros légendaires. Pourtant elle en bouleverse fortement les données en plaçant sur la scène les protagonistes de l'action – êtres supérieurs à la condition humaine ordinaire, et en installant dans l'*orchestra* un chœur dont les sentiments et les interventions traduisent une sorte de sagesse populaire.

Le chœur s'exprime en strophes chantées, tandis que les protagonistes dialoguent en trimètres iambiques. Dans le cadre de la représentation tragique, le héros légendaire perd surtout le statut de modèle que lui confère l'épopée, pour devenir le lieu d'un problème. La tragédie grecque ne chante pas le héros exemplaire ; elle met l'accent sur une conscience tragiquement déchirée.

Mais la poésie ne saurait être réduite aux problèmes du « genre » qui lui a donné naissance. La poésie possède en propre des fondements et des fonctions qui lui assurent sa spécificité. Aristote, puis, plus proche de nous, Roman Jakobson, se sont efforcés de le montrer.

II. Fondements et fonctions du langage poétique

1. Principes d'analyse aristotéliciens

Il faut attendre Aristote pour que la poésie ait sa terminologie et ses classifications. Certes Platon a parlé des poètes au dixième livre de *La République*, mais en des termes qui n'ont rien à voir avec le célèbre traité d'Aristote, la *Poétique*, écrite vers 340 avant Jésus-Christ. Dans ce court traité, il est surtout question de la tragédie et assez peu de l'épopée. La réflexion théorique d'Aristote s'accompagne constamment d'une incitation à créer, ainsi que de la recherche des techniques et des sujets les plus aptes à retenir l'intérêt du public. Ainsi recommande-t-il la plus grande concentration dans le dispositif et le déroulement d'une action dramatique, mais sans jamais imposer de règles ; en suggérant seulement.

La *Poétique* d'Aristote est un livre fondateur où sont posés quelques problèmes essentiels qui n'ont point perdu de leur actualité. Le philosophe Paul Ricœur est certainement l'homme qui aujourd'hui a tiré le meilleur parti du livre d'Aristote et de ses évidentes difficultés de lecture. Dans *La Métaphore vive*[1], Ricœur souligne d'emblée que, pour Aristote, la poétique, art de composer des vers, ne se confond jamais avec la rhétorique, art de la persuasion, de l'éloge et du blâme. Non, la poésie, ce n'est pas l'éloquence. Et pourtant il est une figure qui leur est

1. Paris, Le Seuil, 1975.

commune : c'est la métaphore. Comme l'écrit Paul Ricœur, il y a « une unique *structure* de la métaphore, mais deux *fonctions* de la métaphore : une fonction rhétorique et une fonction poétique ».

Fonction métaphorique de la poésie

Mais qu'est-ce, au juste qu'une métaphore ? La définition qu'on trouve dans la *Poétique* est célèbre :

> « La métaphore est le transport à une chose d'un nom qui en désigne une autre, transport ou du genre à l'espèce, ou de l'espèce au genre ou de l'espèce à l'espèce ou d'après le rapport d'analogie. »

La métaphore implique donc un mouvement, un transport, un déplacement. Mais la métaphore entraîne également une violation de l'ordre des choses ; elle donne au genre le nom de l'espèce, elle brouille les classifications habituelles, elle transgresse les catégories. Et pourtant, si elle défait un ordre, la métaphore a cet avantage extraordinaire d'en inventer un autre.

La métaphore serait-elle une comparaison abrégée, une comparaison sans « comme » – ainsi qu'on le dit depuis la définition un peu simpliste de Quintilien ? Au lieu de « ceci est comme cela », on aurait simplement : « ceci est cela ». Et toute comparaison pourrait inversement être conçue comme une métaphore développée. En fait, Aristote n'a point cette vision minimaliste de la métaphore ; il en fait le pivot même de toute la poésie. Mais il convient de l'oublier momentanément pour mieux y revenir par la suite.

Dans la *Poétique*, Aristote prend surtout en considération la « tragédie » qui, selon lui, repose sur une fable première (*muthos*) qui a besoin, entre autres, d'élocution (*lexis*), de pensée (*dianoia*) et de chant (*melopia*). La *lexis* est, en fait, grâce à l'agencement des vers, l'explicitation du *muthos*. « Entre le *muthos* de la tragédie et sa *lexis*, écrit Paul Ricœur, il y a un rapport qu'on peut se risquer à exprimer comme celui d'une forme extérieure à une forme intérieure ». Mais, au-delà de ce rapport de complémentarité entre le *muthos* et la *lexis*, Ricœur prend surtout en considération le rapport qui s'établit entre la fable tragique (*muthos*) et la fonction de *mimésis*, si fréquente et centrale sous la plume d'Aristote.

Or, en Grèce, la *mimésis* se voit le plus souvent attribuer un sens voisin du mot « imitation ». Mais, chez Aristote, la *mimésis* n'a rien à voir avec une quelconque imitation de la nature. La *mimésis* n'est et n'existe que dans la poésie. Elle est le levier capital qui permet d'arriver à la traduction ou incarnation du *muthos*, de la fable. La *mimésis*, c'est la construction même du *muthos*.

Mais la fable n'est pas du tout de l'ordre d'un passé figé et mort ; la fable est dynamique et d'ordre prospectif. Alors que l'historien se contente de raconter ce qui est arrivé, le poète raconte ce qui aurait pu arriver. La poésie prend en charge une fable qui est un peu à l'image de nos fantasmes, terrés dans des creusets archaïques mais prêts à alimenter nos désirs et même à exiger qu'ils se réalisent. L'historien maîtrise un passé clos, tandis que le poète recourt à des forces qui, issues du passé personnel ou collectif, demandent à se réaliser.

Le poète René Char a donné une des plus éclairantes définitions de son art, en écrivant : « Le poème est l'amour réalisé du désir demeuré désir[1] ». Oui, c'est le désir qui parle dans le poème et qui montre ses tourbillons conflictuels.

La *mimésis* n'est donc pas une copie du réel, mais elle s'assimile à la création en tant qu'elle épouse une fable première qui n'est autre qu'une image archétypale de notre désir, une sorte de matrice motrice.

Aristote écrit que « le poète doit être artisan de fables plutôt qu'artisan de vers, vu qu'il est poète à raison de l'imitation et qu'il imite les actions ». Il faut bien comprendre ici qu'« imitation » ne doit pas être entendu au sens de simple reproduction ; c'est la *mimésis* qu'Aristote désigne, avec tous ses charmes aimantés.

Dans une célèbre formule de sa lettre dite « du voyant » Rimbaud écrit que « la poésie ne rythmera plus l'action, elle sera en avant ». Il dénonce, par là même, une poésie qui se contenterait d'être descriptive (c'est là le domaine de l'historien) pour promouvoir une poésie qui sera « en avant » d'événements qu'elle n'épouse plus, mais qu'elle annonce, qu'elle pressent. Plutôt que d'imitation, il conviendrait de parler de prise en charge du désir.

Mais à regarder du côté de Rimbaud, nous forçons certainement un peu la *Poétique* d'Aristote car celui-ci ne récuse pas totalement le sens d'« imitation » qu'on peut donner au mot

1. In *Fureur et mystère*, Gallimard, 1948, repris dans *Œuvres complètes*, bibliothèque de la Pléiade, 1983.

mimésis. Du moins laisse-t-il entendre que c'est une imitation qui magnifie. Comme le dit très bien Paul Ricœur, « l'imitation est à la fois un tableau de l'humain *et* une composition originale ». Elle mêle à la fois le tableau figuratif et la création *ex nihilo*. Paul Ricœur a encore cette autre formule : « L'imitation consiste en une restitution *et* un déplacement vers le haut ». Apparemment, le poème semble restituer quelque chose qui est déjà là, mais à ce déjà-là (qui, sous le couvert d'une réalité tangible, cache les revendications secrètes d'un fantasme), il fait subir un déplacement vers le haut (et le mot « déplacement » est, pour les psychanalystes, essentiel dans le décryptage des mouvements de l'inconscient et des mécanismes du rêve).

La poésie comme écart

Dans *La Métaphore vive*, Paul Ricœur n'hésite pas à établir un lien entre la *mimésis* et la métaphore. Jusqu'ici la métaphore pouvait être considérée comme un simple fait ou effet de langage, un écart par rapport à une norme langagière préétablie. Force est de constater que la plupart des linguistes se contentent du constat de cet écart pour définir la poésie. La poésie serait ainsi le produit d'une suite d'écarts définis par rapport à une norme statique et intangible. Ces écarts résultent de multiples figures de style où la permutation et les effets d'effacement jouent un rôle majeur.

Les écarts les plus significatifs de la poésie dérivent des tropes qui se produisent lorsque les mots sont pris dans un sens détourné, autre qu'un sens propre, c'est-à-dire dans une signification qu'on leur prête momentanément et qui n'est que de pur emprunt. La synecdoque et la métonymie en font partie, mais la pièce principale en est la métaphore. Pourtant, dès lors qu'on la met en rapport avec la *mimésis*, la métaphore perd tout caractère de gratuité et ne se réduit plus à un simple écart formel. Elle s'inscrit plutôt dans la double tension qui est celle-là même de la *mimésis*.

La métaphore n'est plus un pur ornement linguistique, mais elle s'impose à la fois comme « soumission à la réalité *et* invention fabuleuse ; restitution *et* surélévation ». La métaphore permet une surélévation du sens au niveau des mots, tandis que le *muthos* canalise une surélévation du sens au niveau du poème tout entier. La *mimésis*, elle, incarne alors la vérité profonde de l'imaginaire mise en jeu, et sa force ontologique.

Dialectique interne de la métaphore

Il est en tout cas bien certain que le poème opère une transmutation dialectique. Il accepte la déperdition d'un sens premier au profit d'un sens second. Derrière le contenu manifeste – et qui semble en appeler à une référentialité tout extérieure –, se cache un contenu latent, essentiel. Les énoncés métaphoriques disent et ne disent pas ; ils sont voués à s'auto-détruire pour faire place à d'autres messages.

Paul Ricœur, prenant un peu de liberté avec la *Poétique* d'Aristote tout en se rapprochant du discours poétique contemporain, en arrive à cette définition :

> « Toute la stratégie du discours poétique se joue en ce point : elle vise à obtenir l'abolition de la référence par l'auto-destruction du sens des énoncés métaphoriques, auto-destruction rendue manifeste par une interprétation littérale impossible. »
>
> (*La métaphore vive*, Paris, Le Seuil, 1975).

On prête à Arthur Rimbaud cette formule destinée à répondre à ceux qui trouvaient sa poésie difficile à comprendre :

> « J'ai voulu dire ce que ça dit, littéralement et dans tous les sens. »

Oui, tous les grands poèmes peuvent être entendus littéralement, mais leur sens littéral est le plus souvent insuffisant, frustrant. Car le poème a le don d'ouvrir tout un champ de lectures possibles – lectures potentielles et comme suspendues. Le langage métaphorique a certes un sens, mais sa fonction inattendue est de préparer à l'auto-destruction de ce sens. Celle-ci n'est nullement gratuite, s'il faut en croire, à nouveau, Paul Ricœur :

> « L'auto-destruction du sens, sous le coup de l'impertinence sémantique, est seulement l'envers d'une innovation obtenue par la "torsion" du sens littéral des mots. C'est cette innovation de sens qui constitue la métaphore vive. »
>
> (*op. cit.*)

Ricœur se place là franchement sur le terrain de la poésie d'aujourd'hui qui n'a souvent même plus le souci de proposer un premier niveau de lecture viable (comme Rimbaud semble encore l'accepter), mais qui fait du passage par le filtre métaphorique le lieu même de la subversion du sens, de sa « torsion ». Une façon de tordre le cou au discours trop littéral pour le faire accéder à un niveau second de sens, inattendu, inenvisageable, inouï.

En parlant de « métaphore vive », Ricœur, philosophe chrétien, retire le mot « métaphore » du seul circuit linguistique et le fait vivre d'une existence autonome mais qui s'inscrit peut-être dans une nébuleuse ontologique... Il est d'autres lectures de la poésie moderne et contemporaine qui répudient tout point de fuite et n'en appellent qu'à des constats linguistiques, sans aucun au-delà. Ces prises de position sont essentielles car elles symbolisent le débat majeur de la poésie d'aujourd'hui, son partage entre l'ontologique et le ludique, même si les deux peuvent parfois se recouper.

2. La spécificité du langage poétique : Jakobson

Facteurs et fonctions

Jakobson présente de la poésie contemporaine un schème explicatif qui recouvre grandement l'explication intuitive de Ricœur. Roman Jakobson distingue six « fonctions » qui correspondent, selon lui, aux six « facteurs de la communication » – destinateur, destinataire, code, message, contact et contexte. Ces six « fonctions sont, elles, dites émotive, cognative, métalinguistique, poétique, phatique et référentielle[1] ».

La fonction poétique vise à la mise en relief du message pour lui-même. Jakobson écrit :

> « Cette fonction, qui met en évidence le côté palpable des signes, approfondit par là même la dichotomie fondamentale des signes et des objets[2] ».

La fonction poétique serait-elle en opposition avec la fonction référentielle ? Rien n'est moins sûr, car si la fonction poétique domine dans le message poétique, elle n'exclut pas les autres fonctions.

---

1. R. Jakobson, *Essais de linguistique générale*, Paris, Éd. de Minuit, 1963.
2. *Op. cit.*

Poursuivant sa démonstration, Roman Jakobson avance que les opérations du langage se trouvent toujours à l'intersection de deux axes : celui des combinaisons et celui des substitutions. Une de ses formules les plus célèbres est la suivante :

> « La fonction poétique projette le principe d'équivalence de l'axe de la sélection sur l'axe de la combinaison[1] ».

Cela signifie que le poète sélectionne – consciemment ou inconsciemment – le terme désignant ce dont il veut parler parmi des synonymes ou des équivalents possibles, et que dans le même temps il les combine avec d'autres termes en vue d'obtenir un sens. Au niveau le plus simple, on pourrait établir une table en trois colonnes du genre :

La petite fille	adore	les gâteaux
La gamine	apprécie	les pâtisseries
La gosse	savoure	les sucreries

Les axes de combinaison sont figurés horizontalement, et les axes de sélection verticalement. Toutes les permutations sont possibles, ce qui permet à un Paul Éluard d'arriver à ce vers qui a beaucoup étonné et fait gloser :

> «La terre est bleue comme une orange[2] ».

On peut y sentir l'équivalence « la terre est ronde = comme une orange », « la terre est bleue » (= ainsi que, très référentiellement, on peut le constater, vue du cosmos). Mais il est possible d'aller beaucoup plus loin dans l'ordre des équivalences. Le vers de Paul Éluard fait rêver ; il déclenche l'inspiration du lecteur qui peut avoir tout aussi bien souci de rechercher le référent qui a été à l'origine du poème et de communier avec lui (c'est ce à quoi convie Georges Mounin dans *La Communication poétique*) que d'éprouver un plaisir étrange de pure textualité ou intertextualité. Quoi qu'il en soit, pour Roman Jakobson, « la suprématie de la fonction poétique sur la fonction référentielle n'oblitère pas la référence (la dénotation), mais la rend ambiguë.» Oui, la référence est essentiellement ambiguë dans la poésie contemporaine. Elle est la présente-absente. Et dans la métaphore – figure capitale du poème moderne – elle s'efface pour donner vie et voix à une réalité autre…

1. *Op. cit.*
2. Paul Éluard, *Derniers poèmes d'amour*, Paris, Seghers, 1967.

La poéticité

Si l'on quitte les *Essais de linguistique générale* de Jakobson pour ses *Questions de poétique*[1], on arrive à une façon de cerner le fait poétique encore plus efficace. Dans un célèbre article intitulé *Qu'est-ce que la poésie ?*, Jakobson définit d'abord ce qu'elle n'est pas, et il remet d'emblée en question une conception romantique de la poésie que sa fréquentation des poètes formalistes russes a contribué à ébranler. Ainsi, pour Jakobson, la poésie ne saurait résider – comme on l'a cru trop longtemps – dans des thèmes dits « poétiques » ou dans un vocabulaire noble et sélectionné à dessein. Jakobson va même plus loin en avançant que le poème n'a pas forcément à obéir à une quelconque inspiration et qu'il peut dépendre du hasard.

Jakobson se plaît à donner l'exemple du poète russe Khlebnikov qui se réjouissait de voir les typographes commettre des erreurs sur les épreuves de ses poèmes ; ces erreurs, il avait bien souci de les conserver, car elles venaient ajouter à ses poèmes une dose bienfaisante de hasard !

Selon Jakobson, la poésie est un mot fourre-tout auquel il convient de substituer celui de « poéticité ». Or, pour qu'il y ait poéticité, il faut qu'il y ait entre le mot et la chose désignée (voire entre deux mots mis en présence à la manière de la métaphore surréaliste) un rapport d'équivalence et de non-équivalence – les deux mêlés. Ainsi, le mot « table » désigne une table bien réelle, la table de bois sur laquelle l'écrivain écrit, mais, pour qu'il y ait poéticité, il faut qu'il désigne autre chose qu'une simple table. Si on intègre le mot « table » dans l'expression « table des Lois » ou « table d'orientation », voilà que le mot perd son sens premier et qu'il s'auréole d'autres significations.

Il est rare que le poème repose sur le seul pouvoir du mot ; il est le fruit d'une construction métaphorique qui permet tous les court-circuits non seulement de l'image mais de la pensée. Roman Jakobson estime que la poésie n'occupe qu'un territoire limité dans l'ordre de la pensée humaine. Mais ce territoire est capital car il remet en question le rapport de l'homme au réel. Le langage qui ne fournit que des équivalences, c'est le langage journalistique, mais c'est aussi le discours totalitaire, celui qui récuse toute contestation. La poésie convie justement à une autre

1. Paris, Le Seuil, 1973.

gymnastique de l'esprit et se fonde sur la non équivalence ; elle conteste un certain rapport au réel établi sur le mode de la transparence et c'est pour mieux appréhender une nouvelle réalité.

C'est donc à tout un travail idéologique que convierait le poème novateur. Roman Jakobson avance que la poésie est ce qui empêche « la rouille de la pensée ». Les milieux avant-gardistes profitent du langage novateur du poète de génie avant que celui-ci n'atteigne la communauté toute entière. Le langage poétique aurait donc un pouvoir comparable à celui qu'a pu avoir un Barthes engagé dans ses entreprises de démystification du langage publicitaire, par exemple…

La position de Roman Jakobson est une base minimale de l'appréhension du phénomène poétique. Elle a été surtout dictée par les innovations accomplies par les poètes formalistes russes. Mais elle n'est pas non plus sans expliquer certains ressorts de la métaphore surréaliste, où deux « signifiants » sont placés dans un rapport d'équivalence et de non-équivalence qui est censé régir la poéticité. Mais dans ses *Écrits*, Jacques Lacan a contesté la confrontation des signifiants, à laquelle donnerait lieu la métaphore surréaliste. Il n'y perçoit que la victoire d'un des deux signifiants sur l'autre. Le fameux court-circuit surréaliste (dont nous parlerons plus en détail au chapitre VII) ne serait donc qu'un leurre, et toute la poétique surréaliste un avatar de l'écriture automatique. Jacques Lacan écrit :

> « Disons que la poésie moderne et l'école surréaliste nous ont fait faire ici un grand pas, en démontrant que toute conjonction de deux signifiants serait équivalente pour constituer une métaphore, si la condition du plus grand disparate des images signifiées n'était exigée pour la production de l'étincelle poétique, autrement dit pour que la création métaphorique ait lieu. Certes cette position radicale se fonde sur une expérience dite de l'écriture automatique, qui n'aurait pas été tentée sans l'assurance que ses pionniers prenaient de la découverte freudienne. Mais elle reste marquée de confusion parce que la doctrine en est fausse. L'étincelle créatrice de la métaphore ne jaillit pas de la mise en présence de deux images, c'est-à-dire de deux signifiants également actualisés. Elle jaillit entre deux signifiants dont l'un s'est substitué à l'autre en prenant sa place dans la chaîne signifiante, le signifiant occulté restant présent de sa connexion (métonymique) au reste de la chaîne. »
>
> (*Écrits*, Paris, Le Seuil, 1966).

L'analyse de Jacques Lacan, précise et « scientifique », s'inscrit dans un certain courant de contestation de la métaphore, conduit par des poètes eux-mêmes.

3. Contestations modernes de la métaphore

Guillevic

Eugène Guillevic est un des poètes français contemporains qui a le plus vivement contesté l'impérialisme de la métaphore.

Dans *Vivre en poésie*, Guillevic l'affirme très clairement :

« La métaphore n'est pas, pour moi, l'essence du poème ; je procède par comparaison, non par métaphore. C'est une des raisons de mon opposition au surréalisme. Pour moi, une chose peut être comme une autre chose, elle n'est pas cette autre chose ». Guillevic voit dans la métaphore une pente facile et paresseuse, une façon de se complaire dans les délices du paradoxe. Si les surréalistes (auxquels Guillevic s'oppose constamment) aimaient « l'union libre » en poésie, le poète d'*Inclus* préfère, lui, une écriture économe, sans effets, basée sur le sacrifice verbal :

Écrire,
C'est poser
Déposer sur la page,
Ce qui n'existait pas
Avant le sacrifice.
...
Ce qui fut sacrifié
Ne saigne pas, moignon
A la sortie.
...
Et maintenant,
Il est lisible, détaché
De cet homme qui célébra
Sur lui-même
Le sacrifice.

(*Inclus*, Paris, Gallimard, 1973).

Guillevic creuse un espace entre les termes qu'il convie sous sa plume, plutôt qu'il ne cherche à les lier. Dans *Euclidiennes*, le signe verbal et la figure géométrique ont leur existence propre sur la page. Guillevic se méfie par trop des mélanges, et la rencontre d'un parapluie sur une table de dissection – audace chère à Lautréamont – ne lui parle guère. Guillevic affectionne plutôt la netteté du substantif, ce qui l'incite à bannir l'adjectif qui entraîne toujours le poème dans des contours trop flous :

> *Des adjectifs*
> *Qui, comme d'habitude*
> *Ont l'air d'accueillir*
> *Et qui vous diluent.*

(*Ville*, Paris, Gallimard, 1969).

En fait, Guillevic n'est pas loin de penser, comme Sartre dans *Qu'est-ce que la littérature ?*, que le poète a trop tendance à procéder par « associations magiques de convenance et de disconvenance » et à se placer ainsi « de l'autre côté de la condition humaine ; du côté de Dieu ». A la métaphore sacralisée, Guillevic préfère donc la netteté – et l'honnêteté – des menhirs de Carnac, ou l'ellipse, cette « sculpture de silence » :

> *Peu de paroles,*
> *Car trop de paroles*
> *Bouchent le creux,*
> *Et la résonance : adieu.*

(*Inclus*, Paris, Gallimard, 1973).

Si Guillevic privilégie l'« étier » (c'est le titre d'un de ses recueils), n'est-ce pas parce qu'il figure le canal qui relie les marais salants à l'océan ? La fusion entre les deux éléments s'opère non point directement, mais grâce à un filtre qui préserve leur autonomie. La poésie de Guillevic s'élève ainsi contre le spectre de l'indifférenciation et fait de la recherche de l'identité sans ambiguïté, son ressort essentiel. C'est là sa manière de répondre aux dérives surréalistes fondées sur la métaphore.

Bonnefoy

Pour Yves Bonnefoy que la lecture des surréalistes a fait naître à la poésie, la métaphore n'est pas une ennemie en soi. Il serait vain de tenter de lui imposer silence. Et le combat de Bonnefoy consiste – comme on le verra au chapitre VIII – à s'attaquer à « l'image » (c'est-à-dire à la métaphore surréaliste, souvent gratuite et irresponsable) pour privilégier « la présence » (qui est surtout la présence du poète à ses textes).

Si le poète, loin de s'impersonnaliser à la façon de Mallarmé, se rend présent à son poème, peu importe que celui-ci soit obscur. L'obscurité du poème entrera en symbiose avec la propre obscurité du lecteur. Mais, pour ce faire, la simple dialectique métaphorique ne saurait suffire. La métaphorisation est un procédé par trop ludique et irresponsable, où les signifiants s'arrogent tous les pouvoirs. Yves Bonnefoy va donc privilégier, comme il le disait en réponse à une question qui lui avait été posée en 1983 au colloque de Cerisy, « ce qu'on pourrait appeler, peut-être, la part métonymique de la métaphore ». Aux sortilèges de la connotation, Bonnefoy veut adjoindre la prégnance de la dénotation ; car c'est « dans cette réserve (métonymique) que gît la capacité de l'auteur, et toutes les virtualités de sa parole à venir. C'est par elle qu'il est présent à lui-même et aussi, malgré tout, aux autres[1]. »

Yves Bonnefoy voit dans la métaphore le risque d'une clôture, pour le poème, et il n'éprouve que méfiance pour le « stupéfiant-image » cher à Aragon (cf. chapitre VII). La position d'un critique comme Michaël Riffaterre qui considère que le seul référent d'un poème est un référent linguistique, n'a guère son aval. C'est qu'Yves Bonnefoy tient à une implication du réel jusque dans les images qui nous en détournent.

La « présence » chère à Bonnefoy cherche à subvertir la clôture du texte, au sein même de ce texte – singulier mouvement qui serait, pour reprendre une formule de Jean Starobinski, « la négation "existentielle" de la négation "intellectuelle" » dont l'œuvre est le produit. A cette condition, le vent régénérateur de la présence pourrait souffler. C'est dire que la métaphore est pour Bonnefoy une figure qu'il ne faut pas nécessairement esquiver à la manière de Guillevic (car elle a toujours chance de réapparaître subrepticement), mais qu'il convient plutôt de canaliser – tout en la criblant de brèches métonymiques.

Sur ce point, le débat poétique reste fructueusement ouvert.

1. « Bonnefoy », Colloque de Cerisy, *Sud*, 1985, p. 423.

III. Le classicisme

Une vision un peu trop scolaire de la littérature a longtemps fait du classicisme le modèle inégalé de tous les grands genres littéraires.

Une autre vision – un peu trop rapide, elle – tend à faire du même classicisme le symbole de l'académisme figé.

Ce sont là des visions partiales et partielles. Et si certains poètes du XXe siècle les perpétuent (que l'on songe à Breton et à sa haine viscérale du Grand Siècle), il en est d'autres qui proposent un nouveau regard sur une époque foisonnante. Ainsi Francis Ponge reconnaît-il son maître en Malherbe (à qui il consacre un « Tombeau » intitulé *Pour un Malherbe*[1]), tandis que Jean Tortel trouve chez les poètes préclassiques les ferments de notre modernité.

Il est enfin quelques poètes pour qui le XVIIe siècle n'est nullement un siècle de référence (par assimilation ou répulsion) et qui préfèrent situer leurs modèles au XVIe siècle (c'est le cas de Michel Deguy, auteur d'un *Tombeau de Du Bellay*[2]) ou au Moyen Age ; c'est ainsi que l'on assiste à une découverte ou redécouverte de la poésie des Troubadours, sous l'impulsion notamment de Jacques Roubaud et de la revue *Action poétique*.

A Boileau enfoui dans la poussière des manuels scolaires, se substitue l'étonnante jeunesse de Rimbault de Vacqueyras. Et l'échiquier poétique gagne toujours à aller se revivifier à des

1. Paris, Gallimard, 1965.
2. Paris, Gallimard, 1973.

sources nouvelles, même si l'édifice du Grand Siècle apparaît difficilement contournable...

1. Classiques et préclassiques

Avatars de la notion de classicisme

Le XVIIe siècle français est une époque capitale pour la littérature française. C'est le siècle dit « classique ». Et pourtant ceux que nous appelons aujourd'hui des « classiques » ne se sont jamais qualifiés de la sorte. C'est sous le règne de Louis-Philippe que, pour répondre à la fougue triomphante des jeunes romantiques qui s'opposaient à tout académisme, certains critiques du clan conservateur placèrent au pinacle les écrivains du siècle de Louis XIV, réputés pour leur rigueur et leur clarté.

Classicus est en fait un adjectif qui en latin désignait une certaine classe de citoyens. Ce sens a aujourd'hui périclité, même si l'on a parfois tendance à ranger les classiques sous la bannière de la classe bourgeoise. Longtemps, l'adjectif a désigné des ouvrages dignes d'être étudiés dans les classes – ouvrages de premier ordre comparables à ceux que nous léguèrent les Grecs et les Romains.

Le XVIIe siècle a dès lors été choisi comme celui où la langue française avait atteint un point de perfection incomparable. Force est de reconnaître que de 1850 à 1900, le classicisme a connu une prééminence, sans véritable concurrence. En revanche, son crédit a baissé au fil du XXe siècle. Les surréalistes ne l'ont considéré qu'avec mépris et l'ont fait rejoindre l'enclos des manuels scolaires.

Pourtant, ce XVIIe siècle français a été dans le même temps revalorisé par des lectures modernistes (celle de Barthes, par exemple) ou par des mises en scène dépoussiérées (dont le théâtre de Racine a grandement bénéficié). Mais ce qui a surtout été mis en lumière, c'est que l'âge classique n'est guère l'entité rigide que l'on croit, mais qu'il a témoigné d'une vie foisonnante. Francis Ponge pourra dès lors considérer Malherbe comme son maître, et les *Cahiers du Sud*, sous l'impulsion de Jean Tortel, consacrer en 1952 un mémorable numéro spécial au

« Préclassicisme français ». Car, le XVIIe siècle, ce n'est pas seulement le classicisme – cette période dorée où, entre 1661 et 1685, un idéal d'ordre et de clarté domina la littérature –, c'est aussi le préclassicisme où s'élabora une conception tout à fait moderne du poète. Que l'apogée du classicisme se caractérise par un accord parfait entre un ordre politique, un art et une morale, c'est là le résultat d'une longue élaboration où les contradictions internes n'ont pas fait défaut.

Malherbe vint...

Si Malherbe et les grammairiens finissent par simplifier et par épurer la langue, c'est en réaction contre une tendance baroque qui, influencée par l'Espagne et l'Italie, a privilégié un langage chargé qui n'avait nullement peur des outrances.

Malherbe n'a pas composé d'Art poétique, mais l'ensemble de ses écrits en forment un, d'où il ressort que la langue du poète doit être pure. Alors que les poètes de la Pléiade avaient toujours voulu enrichir la langue, Malherbe vise à l'appauvrir au nom d'un idéal de pureté qui proscrit les archaïsmes, les provincialismes, les mots étrangers. Et puis Malherbe interdit les licences (hiatus et enjambements), estimant que le poète doit être avant tout un bon ouvrier du vers.

Malherbe disait à son ami Racan : « Toute la gloire que nous pouvons espérer est qu'on dira que nous avons été deux excellents arrangeurs de syllabes ». Cette apparente modestie était pourtant doublée d'un orgueil dominateur : « Ce que Malherbe écrit dure éternellement ! » Mais pour le poète contemporain Francis Ponge, cette attitude était finalement celle d'un homme qui « voulait vivre dans la société, au seul niveau qui lui convienne, celui de la supériorité d'esprit ». Cette supériorité d'esprit était une façon toute révolutionnaire de se séparer de la sensibilité générale de l'époque qui était essentiellement d'inspiration chrétienne.

Un préclassicisme affranchi

Les préclassiques ne doivent pas nous apparaître comme les conservateurs d'un ordre rigoureux ; ils s'inscrivent plutôt dans une perspective audacieuse qui est l'acceptation du bonheur terrestre, liée à un habile gommage des références à l'au-delà. Car les préclassiques ont l'assurance d'obtenir ce bonheur par le développement total de toutes leurs facultés – et, sur ce point, le thème du bonheur rejoint celui de la gloire.

Le poète Jean Tortel estime que les poètes préclassiques présentent rétrospectivement la meilleure réponse qu'on puisse adresser aux romantiques dont les ravages ont été importants dans la poésie moderne. Le romantisme ne conçoit qu'une poésie totale, alors que les préclassiques gardent dans la frénésie des passions tout le bonheur qui peut résulter pour l'homme à les surmonter en les disant.

Les préclassiques ont surtout la sagesse de tout relativiser et d'accepter les limites de l'esprit. Comme le dit Jean Tortel, « leur modestie touchant le but et l'essence de la poésie est étonnante, quasi choquante pour des esprits habitués aux ambitions romantiques et surréalistes ». L'homme, pour les préclassiques que sont Théophile de Viau, Saint-Amand et Tristan l'Hermite, n'est pas le cosmos, il en est tout le contraire. Il accepte et reconnaît sa faiblesse d'individu voué au relatif.

Si parfois les préclassiques empruntent des thèmes qui seront ceux des romantiques, c'est toujours en les dotant d'une tonalité différente. Ainsi, la solitude qui, pour le romantisme, est vécue comme un éprouvant désert de l'âme, est recherchée et célébrée par les préclassiques. Quant à l'amour, il n'est nullement prétexte au platonisme ou à l'incontournable travail du deuil (les romantiques aiment surtout la femme quand elle est absente ou morte – façon d'évacuer toutes les formes de culpabilité liée à la sexualité). Les préclassiques découvrent l'amour dans l'intimité même des amants. Le corps n'est donc point nié, qui est plutôt l'objet de « blasons » érotiques.

Les préclassiques sont en fait des novateurs. Avec eux, finis l'antiquité et ses modèles sacro-saints ! Saint-Amand va jusqu'à se vanter de ne connaître ni le grec ni le latin. Bien plus : les poètes préclassiques se sont débarrassés du péché originel, cette tare qui freine l'élan vers le bonheur et qui empêche l'épanouissement des sens, de tous les sens. Jean Tortel tient Théophile de Viau pour « le premier poète moderne », et il écrit à son sujet :

> « L'homme cueille et partage le fruit. Théophile a cru qu'il n'était pas défendu de le faire, ni de le dire. Il a cru qu'il était

bon (moralement bon) de rechercher sans hypocrisie le bonheur terrestre[1]. »

Magnifique aveu d'un poète qui aspire à la plus totale liberté (« La règle me déplaît ») et qui revendique son indépendance dans ces vers qu'il est toujours agréable de citer :

> « *Je veux faire des vers qui ne soient pas contraints,*
> *Promener mon esprit par de petits desseins,*
> *Chercher des lieux secrets où rien ne me déplaise,*
> *Méditer à loisir, rêver tout à mon aise* ».

Mais l'extraordinaire, c'est que Théophile de Viau, tout en assumant son tempérament libéré, accepte que les autres poètes n'épousent pas les mêmes valeurs que lui. Il reconnaît à Malherbe de grandes qualités, mais proclame :

> « *Imite qui voudra les merveilles d'autrui.*
> *Malherbe a très bien fait, mais il a fait pour lui.* »

Le XVIIe siècle mérite d'être sorti de son image par trop unilatérale de rigueur. Si rigueur il y a eu, elle fut certes d'ordre formel pour beaucoup, mais elle a consisté également dans un endurant travail de dissociation du profane et du sacré et dans la seule croyance à la dignité des Lettres – reconnue d'ailleurs par la monarchie.

2. Le classicisme

Boileau

Auteur d'un très célèbre *Art poétique*, Boileau doit être distingué des préclassiques. Il est la conscience du classicisme par excellence. Mais il serait faux de croire, comme on le fait trop souvent, que Boileau a fixé le programme de la poésie classique, reposant sur la raison, le goût de la grandeur et de l'héroïsme, un réalisme esthétique qui incline au respect du métier et du public. Non, l'*Art poétique* ne paraît qu'en 1674, après que Racine a produit la plupart de ses chefs-d'œuvre tragiques et que La Fontaine a donné le premier recueil de ses *Fables*. Boileau n'est

1. Jean Tortel, in « Le Préclassicisme français », Cahiers du Sud, 1952.

pas un maître d'école, et son *Art poétique* se différencie de maints autres *Arts poétiques* dans la mesure où il n'est point programmatique mais qu'il codifie après coup ce qu'une génération poétique a instinctivement mis en pratique.

On a eu tort de voir en Boileau un simple donneur de leçons et un maître en recettes infaillibles. Son art de la formule a d'ailleurs contribué à en faire le bouc émissaire de tous ceux qui s'opposeront à l'art classique.

> « *Ce que l'on conçoit bien s'énonce clairement*
> *Et les mots pour le dire arrivent aisément ;*
> *La rime est une esclave et ne doit qu'obéir ;*
> *Un sonnet sans défaut vaut seul un long poème.* »

Ses formules les plus connues ont été la cible de vives contestations.

Ce qui ressort de l'*Art poétique* de Boileau, c'est d'abord sa parenté avec le *De Arte Poetica* d'Horace où est également défendu un idéal de parole parfaite et d'éloquence suprême ; les raffinements les plus exquis peuvent aller jusqu'à une certaine familiarité condescendante – celle des grands hommes à l'égard de leurs vassaux – le tout, sans spontanéité aucune. *L'Art poétique*, s'il s'inspire un peu d'Aristote, du *Traité du sublime* de Longin et de l'*Institution oratoire* de Quintilien, fait en revanche silence sur un grand texte de doctrine paru en France au siècle précédent et écrit par un poète, du Bellay. Il s'agit de la célèbre *Défense et illustration de la langue française* où la poésie était conviée à une ouverture multiforme qui contraste violemment avec l'esprit d'endiguement des classiques. La Pléiade prônait des valeurs que les poètes d'aujourd'hui considèrent avec sympathie, comme le goût de la dissymétrie et de l'étrangeté, et même une certaine ornementation baroque.

Dans son *Tombeau de Du Bellay* (1973), Michel Deguy contribue à réhabiliter le poète des *Regrets* dont l'œuvre « ne tient qu'à dire l'impossibilité de vivre, en figure réciproque avec l'impossibilité de dire, qui s'extorque un dire du deuil qui porte l'expérience du rapport à la mort décevante qui le mande[1] ».

---

1. *Poèmes II*, « Poésie / Gallimard », 1986, p. 11.

Ebranlement de l'édifice classique

Si l'idéal esthétique de Boileau fait aujourd'hui quelque peu sourire, c'est que nous sommes entrés dans une ère où le Beau est envisagé dans sa relativité, alors que l'*Art poétique* repose sur la croyance en la fixité du Beau. Cette croyance a été remise en question dès le début du XVIIIe siècle. Le Siècle des Lumières n'a point été, on le sait, un siècle poétique. Il a été marqué par le règne du philosophe, lui-même successeur avoué du théologien. La place du poète, elle, est très secondaire, comme en témoigne cette maxime de Chamfort :

> « C'est la philosophie qui découvre les vérités utiles de la morale et de la politique. C'est l'éloquence qui les rend populaires. C'est la poésie qui les rend pour ainsi dire proverbiales. »

La hiérarchie est claire, et grande la méfiance à l'égard du sacerdoce légendaire du poète. Diderot dira qu'« il y a toujours dans la poésie un peu de mensonge ». La poésie sera donc reléguée à un rang subalterne.

Le XVIIIe siècle s'intéressera en revanche à la poésie des premiers âges, dans le temps même où la philosophie idéalisera les origines du genre humain. Rousseau et Condillac développeront des théories du langage. On prêtera attention aux cris, aux onomatopées et l'on rêvera de la fusion première des trois arts que sont la poésie, le chant et la danse. Quant aux poètes du temps, ils ne seront considérés que comme des poètes-citoyens formant un rouage de l'État.

L'idée finira par vaincre le chant poétique qui a toujours un besoin vital d' autonomie et dépérit dans la dépendance. La Révolution aura certes ses chanteurs, mais les vrais poètes, tel André Chénier, seront guettés par l'échafaud.

En tout cas, si l'édifice classique est ébranlé fortement tout au long du XVIIIe siècle, il va profiter de la Contre-Révolution pour prendre sa revanche en réhabilitant, à des fins de combat, un conformisme antérieur.

IV. Romantismes

1. Contre-Révolution et premier Romantisme

La Contre-Révolution va surtout s'en prendre à la philosophie qui incarne une menace de ruine pour la société et qui est censée tarir les sources vives de la création. Elle va s'attacher à dénigrer l'écrivain qui pense. La poésie va y gagner, en crédit, elle qui a pour fonction de célébrer la Beauté. Le siècle de Louis XIV retrouve alors toutes les faveurs.

Par ailleurs, la première vague du Romantisme, tellement sensible à l'idéologie contre-révolutionnaire, ne cessera d'exiger que le sens littéraire s'émancipe de toute emprise scientifique. Dans une lettre à Mlle de Canonge, du 24 décembre 1818, Lamartine se plaint de « l'influence funeste qui [l'] a fait naître dans un siècle de mathématiques » ! C'est alors le retour à l'idéal orphique, et Chateaubriand, dans *Le Génie du christianisme*, s'enthousiasme à la vue d'Orphée en compagnie de Cadmus et Amphion : « Le luth à la main, une couronne d'or dans leurs cheveux blancs, ces hommes divins, assis sous quelque platane, dictaient leurs leçons à tout un peuple ravi ».

Le poète, hérault du christianisme

La sensibilité est d'emblée intégrée à la religion – ce qui marque un violent retour en arrière, car, à l'époque classique, le poète – on l'a dit – était loin de se modeler sur la religion.

Le Génie du christianisme est un appel à la conversion religieuse de l'homme sensible. Dans ce livre fondateur du Romantisme – ou plutôt du premier romantisme –, il est affirmé que

> « le monde dégénéré attend une nouvelle prédication de l'Évangile ; le christianisme se renouvelle, et sort victorieux du plus terrible des assauts que l'enfer lui ait encore livrés. »

On le voit, le manichéisme veut à tout prix exorciser la terreur de la Révolution et lui substituer des valeurs réactionnaires auxquelles le christianisme est convié à s'associer.

Le poète est désormais le prêtre désigné du Beau. Mais la pensée contre-révolutionnaire, en hâtant le sacre du poète, entre dans un dangereux entrelacs de contradictions. En effet, la promotion soudaine du poète répond à un pressant besoin de refouler le danger de la philosophie, mais elle lui confère une puissance inconnue qui risque un jour de se retourner contre ceux qui l'ont mise en place. Pourquoi le poète ne prendrait-il pas finalement la place du philosophe ? Pourquoi le poète ne s'aviserait-il pas de penser ?

Lamartine

Le Lamartine des *Méditations poétiques* (1820) est un poète qui pense – mais qui pense bien (c'est-à-dire qui épouse les idéaux contre-révolutionnaires). Lamartine s'immerge dans la nature et fait de Dieu le « vague objet » de « vœux » tout aussi vagues. Il s'adonne à une « rêverie qui se prend pour la pensée », sans troubler qui que ce soit. Le recueil rencontre un succès considérable qui incite le poète à donner, quelques années plus tard, de *Nouvelles Méditations poétiques*. Mais lorsque Lamartine publie en 1830 ses *Harmonies poétiques et religieuses*, le ton change. En dépit de son titre, l'ouvrage évoque un Christ dont l'« éclipse est bien sombre ». Lamartine ne va pas jusqu'à la négation de Dieu, mais il recourt au blasphème et à la révolte. Le poète s'attache à une narration poétique des étapes de l'humanité, avec le secret désir de réintégrer l'Odyssée des hommes dans le plan divin. Mais déjà point l'idée que le poète est celui qui voit l'avenir pour les hommes incapables de le discerner. Le poète est investi d'une mission. Lamartine s'abouche là à des objectifs qui seront ceux-là mêmes de Victor Hugo, le grand maître de la seconde vague romantique.

2. Victor Hugo et le second romantisme

Victor Hugo incarne parfaitement le Romantisme et ses mutations. Car le Romantisme n'est point uniforme, et l'on peut déceler en lui au moins quatre courants, du libéralisme au néo-catholicisme et de l'utopie à l'humanitarisme. Hugo n'a jamais été avare de préfaces ou de confidences qui jouent plus ou moins le rôle de manifestes ponctuant son parcours créateur. Le jeune poète de 20 ans se déclare proche de Lamartine dans la préface à *Odes et poésies diverses* (1822), et il précise :

> « Le domaine de la poésie est illimité. Sous le monde réel il existe un monde idéal qui se montre resplendissant à l'œil de ceux que les méditations graves ont accoutumé à voir dans les choses plus que les choses [...]. La poésie, c'est tout ce qu'il y a d'intime en tout ».

Le poète est donc défini comme celui qui assure de fructueux échanges entre le cosmos et sa sensibilité intime. Dans *Feuilles d'automne* (1831), Hugo fait vibrer les cordes de l'intime en recourant à ses souvenirs d'enfance, à sa conscience aiguë de la brièveté de la vie et à une secrète et indicible mélancolie, sur fond de nature automnale.

La fonction du poète

Victor Hugo ne tarde pas à montrer qu'il ne reste pas sourd à l'Histoire et à la vie sociale, puisque, dans *Chants du crépuscule* ,commence à apparaître le thème napoléonien qui atteindra à son comble dans *Napoléon le petit* en 1852.

Les Voix intérieures (1837) cherchent, quant à elles, à prendre en compte tous les registres dont le poète est le centre nourricier. Hugo l'explique clairement dans une préface où le poète, comparé à Dieu – mais à un Dieu déjà quelque peu laïcisé – a pour mission d'assumer tous les aspects du mystère universel :

> « La poésie est comme Dieu : une et inépuisable. Si l'homme a sa voix, si la nature a la sienne, les événements ont aussi la leur. L'auteur a toujours pensé que la mission du poète était de fondre dans un même groupe de chants cette triple parole qui renferme un triple enseignement, car la première s'adresse plus particulièrement au cœur, la seconde à l'âme, la troisième à l'esprit. »

Triple distinction qui fait appel à toutes les cordes sensibles : de l'homme dans la solitude à son mariage panthéiste avec la nature et à son assumation d'un destin historique (auquel Hugo ne se soustraira d'ailleurs pas). Dans le célèbre poème *Fonction du poète* qui fait partie de *Les Rayons et les ombres* (1840), Victor Hugo refuse de réduire le lyrisme poétique à la seule expression de la vie personnelle :

Le poète en des jours impies
Vient préparer des jours meilleurs.
Il est l'homme des utopies,
Les pieds ici, les yeux ailleurs.
En tout temps, pareil aux prophètes.

Puis c'est à lui de demander qu'on l'écoute :

Peuples ! écoutez le poète !
Écoutez le rêveur sacré !

Ces vers ne sauraient mieux présenter le poète comme un guide, un « rêveur sacré » qui, s'il n'est pas toujours en contact avec un Dieu qui se dérobe (le *Moïse* d'Alfred de Vigny montre que le prophète n'est pas toujours entendu et qu'il doit accepter une amère solitude), a du moins le don de préparer l'avenir. Le romantisme va se complaire dans le culte du poète-prophète lié à une foi illimitée dans l'avenir censé résoudre les problèmes du présent.

Le don visionnaire

Dans son chef-d'œuvre, *Les Contemplations*, qui paraît en 1856, Victor Hugo ajoute une dernière corde à son arc poétique : le don visionnaire, la faculté d'être à l'écoute de « la bouche d'ombre ». Alors que le poète avait de plus en plus proclamé son désir de forcer les portes de l'inconnu par des moyens purement humains, voilà que Victor Hugo recourt non point à Dieu (ce Dieu récusé depuis qu'il lui a arraché son être le plus cher, sa fille Léopoldine), mais à des « esprits », apparitions issues d'un « monde intermédiaire » où il guette et quête quelque signe rassurant. Mais une telle entreprise de « voyance » se trouve vouée à l'échec, et *Les Contemplations* disent finalement cet échec fondamental de toute connaissance. Désormais, Hugo n'achèvera plus aucune de ses œuvres poétiques. Une béance s'est révélée au terme des *Contemplations*, qui donne à ce recueil une tonalité très moderne, celle de la quête impossible. Le romantisme atteint là un point de rupture qui fraie son chemin à toute une partie de notre modernité.

La création vient ainsi contredire les manifestes un peu théoriques de l'auteur. Comme il arrive souvent, l'expérience créatrice ravage d'un coup l'édifice conceptuel qui s'était progressivement élaboré. C'est pourquoi il ne faut pas forcément écouter les poètes sur le terrain de théories qui sont toujours exposées à subir les dénégations de leur plume créatrice. Grand explorateur du Romantisme, Paul Bénichou ne s'est pas contenté de suivre le cheminement des poètes, il a judicieusement analysé les doctrines de l'âge romantique à travers les penseurs de la première moitié du XIXe siècle.

Doctrines de l'âge romantique

Dans *Le Temps des prophètes. Doctrines de l'âge romantique*, Bénichou place ainsi la poésie romantique en regard des doctrines auxquelles elle a peu ou prou obéi. Et il relève l'importance de l'Histoire de la poésie qu'Edgar Quinet a rédigée en 1837. Dans cet ouvrage, l'auteur considère que « l'art ne commence lui-même à exister qu'à la condition de se séparer du culte et de la liturgie, c'est-à-dire d'établir une église dans l'église, un Dieu nouveau au sein du Dieu antique ». Aussi pour Edgar Quinet la poésie est une sorte de spiritualisme démocratico-prophétique. Elle est une quête et non l'illustration d'une dogmatique nouvelle. Edgar Quinet met d'ailleurs le poète en garde :

> « Ne confondez pas la religion et l'art si vous ne voulez les détruire l'un et l'autre. On demande aujourd'hui à l'artiste d'être prêtre, c'est-à-dire de n'être ni prêtre ni artiste ».

Pour remplacer la religion traditionnelle, Quinet prône l'avènement de l'humanitarisme – ce à quoi un Victor Hugo ne sera pas insensible, même si l'humanitarisme ne dissipe pas l'équivoque entre le « progrès » voulu (le culte du progrès devenant une forme de religion) et la nécessité historique subie.

La poésie romantique, qu'elle soit de tonalité réactionnaire ou révolutionnaire, repose en tout cas sur une série de thèmes flous qui oscillent entre la nostalgie du passé, voire un désir de restauration, et des aiguillons comme la foi dans l'avenir, la sublimité du peuple et du pauvre, la transposition laïque des concepts de sacrifice et de rédemption, quand il ne s'agit pas de l'annonce des temps derniers et de la régénération finale. On assiste à un phénomène de conversions profanes de la foi dans toutes les sphères intellectuelles.

La poésie romantique est assurément plus complexe que ce que Roman Jakobson a bien voulu en écrire dans sa célèbre étude *Qu'est-ce que la poésie ?*, où il la réduit à l'exploitation de quelques thèmes, images ou mots nobles comme « lac » et « château », pour l'opposer à la poésie moderne qui aurait seule l'apanage d'un vrai travail sur le langage. Dans *Poésie et figuration*[1], Jean-Marie Gleize a, par exemple, montré que tel n'était pas le cas et que dans le début d'un poème comme *Le Lac* de Lamartine :

> *Ainsi, toujours poussés vers de nouveaux rivages,*
> *Dans la nuit éternelle emportés sans retour,*
> *Ne pourrons jamais sur l'océan des âges*
> *Jeter l'ancre un seul jour ?*

le substantif « ancre » en cachait un autre qui est « encre » et qui, même voilé, détermine toute la dynamique scripturale de l'œuvre. La « modernité » ne connaît donc pas de lignes de démarcation aussi tranchées!

1. J.-M. Gleize, *Poésie et figuration*, Paris, Le Seuil, 1983.

V. Naissance de la poésie moderne

On a souvent coutume de dire que la poésie moderne naît avec Baudelaire et qu'elle connaît son plein épanouissement avec Rimbaud, puis Mallarmé. Ce point de vue est tout à fait légitime, encore qu'il ne faudrait pas négliger l'importance de Verlaine (l'influence de ce créateur du « rythme impair » fut déterminante sur Rimbaud) et, avant lui, de Gérard de Nerval. Car le « gentil » Gérard des *Odes et odelettes* est également l'auteur d'*Aurélia* – cette descente aux enfers de la folie sans le regard d'une femme aimée et morte – une morte qui prend tour à tour les traits de la Mère, de la Vierge et d'une déesse antique.

Le syncrétisme religieux qui meut le texte de Nerval participe de la « condensation » propre au rêve. Et Nerval s'impose comme un audacieux explorateur des abysses du rêve, en même temps qu'il nous livre le « journal » d'un interné – interné qu'il fut réellement dans la célèbre clinique du docteur Blanche. Avec Nerval, la poésie ne se détourne pas de la « folie », elle l'assume et en fait son aiguillon créateur. Non seulement « le rêve est une seconde vie », mais encore l'écriture est vécue comme impossible – ou comme nécessité impérieuse d'exprimer cet impossible.

La littérature devient dès lors « expérience des limites », et véritable déperdition, soucieuse de se dire comme telle. Au XXe siècle, Antonin Artaud sera l'explorateur le plus troublant de « l'impossibilité de penser qu'est la pensée[1] » – pour reprendre la

1. *Le livre à venir*, Paris, Gallimard, 1959.

formule de Maurice Blanchot – et incarnera la quête la plus audacieusement suicidaire d'une écriture exposée à l'érosion du vide et s'y épuisant inépuisablement.

Il n'empêche que Baudelaire demeure celui qui, ponctuellement et durablement, a apporté le plus à la nouvelle poésie française. Et l'année 1857 marque certainement la date de naissance de la poésie moderne, en même temps qu'elle voit la publication du recueil *Les Fleurs du mal*.

1. Baudelaire

La première édition des *Fleurs du mal* fut l'objet de poursuites judiciaires pour des raisons de morale publique (en fait, les quelques pièces condamnées et inspirées par le lesbianisme – elles seront retranchées des éditions ultérieures – font aujourd'hui sourire) ; mais ces poursuites étaient la réponse confuse de la société à l'insidieuse subversion d'un ordre établi.

Le parti pris du mal

L'idée-force de Baudelaire réside dans ce qu'on pourrait appeler un « parti pris du Mal ». Le « Mal » ne désigne pas seulement le Diable, convive déjà familier des Lettres françaises, mais le malheur, la malédiction, l'instinct de mort et le poison du péché originel. Baudelaire a écrit : « Je ne conçois guère un type de Beauté où il n'y ait du *Malheur* ».

Pour la seconde édition (de 1861) des *Fleurs du mal*, le poète a rédigé une préface qui éclaire bien ses intentions profondes. Baudelaire ne l'a jamais publiée, mais elle mérite d'être citée. Le poète tient d'emblée à opérer une distinction claire entre le Beau et le Bien que la littérature n'a cessé de confondre sous l'égide de la religion. Pour Baudelaire, le Beau n'est pas la courroie de transmission du Bien, et l'esthétique ne découle pas forcément de l'éthique. André Gide exprimera plus tard la même idée en une formule frappante : « C'est avec des bons sentiments qu'on fait de la mauvaise littérature ».

Baudelaire propose, lui, d'extraire la beauté du mal. Le mal est davantage porteur de richesses insoupçonnées que le bien, trop couramment assimilé au règne d'un Dieu ou à la domination d'une morale. Il s'interroge avec une conscience critique :

> « Qu'est-ce que la poésie ? Quel est son but ? De la distinction du Bien d'avec le Beau ; de la Beauté dans le Mal ».

Mais le poète se montre beaucoup moins elliptique, lorsqu'il écrit :

> « Des poètes illustres s'étaient partagé depuis longtemps les provinces les plus fleuries du domaine poétique. Il m'a paru plaisant et d'autant plus agréable que la tâche était plus difficile, d'extraire la *beauté* du *Mal*. Ce livre, essentiellement inutile et absolument innocent, n'a pas été fait dans un autre but que de me divertir et d'exercer un goût passionné de l'obstacle. »

Cette dernière expression est importante. Le poète, avec Baudelaire, n'est plus celui qui chante le déjà-là, mais celui qui affronte un obstacle et qui en a le « goût passionné ». La poésie n'est pas seulement quête, elle est épreuve et exorcisme. Ainsi Henri Michaux publiera-t-il, au sortir de la Seconde Guerre mondiale, un recueil intitulé *Épreuves, exorcismes*[1] qui procède de ce double mouvement.

Dans sa préface à la seconde édition des *Fleurs du mal*, Baudelaire soutient également que « le rythme et la rime répondent dans l'homme aux immortels besoins de monotonie, de symétrie et de surprise ». Ce point de vue sera approfondi dans le deuxième grand massif poétique de Baudelaire, les *Petits Poèmes en prose*. A l'évidence, le poète n'accomplit pas une révolution formelle dans *Les Fleurs du mal* qui use souvent de l'alexandrin et de formes fixes comme le sonnet. Les innovations du recueil sont ailleurs, et notamment dans un appel très explicite au lecteur et à sa complicité aimantée. La pièce liminaire des *Fleurs du mal* s'intitule d'ailleurs *Au lecteur*,

> *Hypocrite lecteur, – mon semblable, – mon frère !*

L'angoisse

Ce que le poète lui demande de comprendre, c'est la dimension de « l'Ennui » – cette angoisse qui meut les hommes (Rimbaud intitulera bientôt un de ses poèmes d'*Illuminations Angoisse*). L'Ennui baudelairien, c'est déjà une incursion dans les

1. Paris, Gallimard, 1949.

abysses de l'inconscient, dans les méandres malsains de nos pulsions :

> *Aux objets répugnants nous trouvons des appas ;*
> *Chaque jour vers l'Enfer nous descendons d'un pas,*
> *Sans horreur, à travers des ténèbres qui puent.*

L'homme, s'il ne se cambre pas dans une attitude hypocrite, se sait en butte aux

> *... monstres glapissants, hurlants, grognants, rampants,*
> *De la ménagerie infâme de nos vices.*

Dans *Tombeau de Baudelaire*[1], le poète Pierre Jean Jouve discernera chez l'auteur des *Fleurs du mal* le premier explorateur de la « matière » inconsciente que Freud va bientôt mettre au jour. Mais, dans le temps même où il s'avance à la rencontre d'un inconscient qui l'attire et l'effraie à la fois, Baudelaire se pare de deux masques : le masque satanique et le masque esthétique. Le premier poème des *Fleurs du mal* s'intitule *Bénédiction* et exprime la malédiction du poète détesté par sa mère, souffrance productive pour la poésie, malédiction bénie dans la perspective d'un destin poétique.

Un grand nombre de poèmes de Baudelaire participent certes de l'idéologie romantique, comme *l'Albatros* qui exprime le fossé séparant le poète de ses rêves idéaux ; comme *Élévation* qui dit tout simplement le désir d'au-delà de celui

> *Qui plane sur la vie, et comprend sans effort*
> *Le langage des fleurs et des choses muettes.*

Il est des poèmes qui participent d'une autre tonalité comme *Les Phares* (sur les rapports entre la poésie et la peinture) ou *La Chevelure* (d'un érotisme ... échevelé où le fétichisme sexuel se lit en filigrane). Le poème *Une charogne* ose, lui, célébrer ce qui n'a rien de « poétique » au premier degré : une pièce de viande puante autour de laquelle bourdonnent des mouches et d'où sortent de noirs bataillons de larves. Ici, l'art de Baudelaire consiste à révéler la beauté paradoxale de ce qui, pour le poète, a « gardé la forme et l'essence divine » de ses « amours décomposés ». La poésie n'a plus à chanter exclusivement ce qui élève, mais à prendre en charge de ce qui est le reflet ou le témoin de notre misère, à nous hommes dégradés par le péché originel. Pourquoi l'amour connaîtrait-il toujours un mouvement

---

1. Paris, Le Seuil, 1958.

ascendant ? N'est-il pas menacé de décomposition, ainsi que Baudelaire le sentait cruellement auprès de sa maîtresse Jeanne Duval ? Tout en se coulant dans un moule chrétien, Baudelaire le charge de paroxysme hystérique pour exprimer les ravages de la faute première et la violence du « remords posthume » qui s'ensuit :

Le tombeau, confident de mon rêve infini
(Car le tombeau toujours comprendra le poète).

Les grands poèmes d'amour baudelairiens sont tenaillés par l'angoisse. Ce sont d'idylliques voyages que guette le spectre de *L'Irréparable* :

Pouvons-nous étouffer le vieux, le long Remords,
Qui vit, s'agite et se tortille,
Et se nourrit de nous comme le ver des morts,
Comme du chêne la chenille ?
Pouvons-nous étouffer l'implacable Remords ?

Le poète ne peut plus donner voix qu'à une « cloche fêlée » quand son « âme est fêlée ». Et le « spleen » est le creuset d'une tenaillante angoisse que l'aspiration à l'« idéal » ne saurait apaiser.

Inconnu et imprévu

La section « Tableaux parisiens » des *Fleurs du mal* est l'occasion pour le poète de donner vie et corps à ces êtres déshérités que sont les vieillards, les aveugles, bref à tous les maudits et leurs taudis qui composent l'âme de la capitale. Et puis il y a dans *Tableaux parisiens* un poème très simple, *A une passante*, qu'Yves Bonnefoy considère, par exemple, comme une pièce maîtresse de la modernité :

Un éclair... puis la nuit ! – Fugitive beauté
Dont le regard m'a fait soudainement renaître,
Ne te verrai-je plus que dans l'éternité ?

C'est le poème de la fugacité, de l'instant plein mais qui s'efface de ce que Bonnefoy appelle la « présence ». Aux mirages de l'idéal, Baudelaire substituerait ici l'éphémère du passage – ce qui devrait, pour certains, être aujourd'hui l'essence même de la poésie.

Avec les *Petits Poèmes en prose*, Baudelaire va plus loin encore dans l'exploration des méandres de l'inconscient –

sadisme et masochisme mêlés – et dans ce que le poète, au détour de son texte *Les Foules*, appelle

> « cette sainte prostitution de l'âme qui se donne tout entière, poésie et charité, à l'imprévu qui se montre, à l'inconnu qui passe. »

Se fondre à l'inconnu, se donner à l'imprévu : voilà des valeurs dont la poésie contemporaine se montre friande. Cet inconnu et cet imprévu peuvent prendre le visage de la provocation, non seulement esthétique, mais sociale, voire révolutionnaire. Dans le poème *Assommons les pauvres*, le narrateur, plutôt que de faire la charité à un mendiant, lui assène des coups de poing qui l'assomment, et il le bat « avec l'énergie obstinée de cuisiniers qui veulent attendrir un beefsteak ». La médication se révèle efficace :

> « Tout à coup – ô miracle ! ô jouissance du philosophe qui vérifie l'excellence de sa théorie ! – je vis cette antique carcasse se retourner, se redresser avec une énergie que je n'aurais jamais soupçonnée dans une machine si singulièrement détraquée, et, avec un regard de haine qui me parut de *bon augure*, le malandrin décrépit se jeta sur moi, me pocha les deux yeux, me cassa quatre dents, et, avec la même branche d'arbre, me battit dru comme plâtre. Par mon énergique médication, je lui avais donc rendu l'orgueil et la vie. »

Baudelaire a ainsi fait appel à une dialectique salvatrice, mais cette dialectique s'efforce d'échapper au modèle chrétien.

Dans les *Petits Poèmes en prose*, Baudelaire vise également à diminuer l'impact de la versification codifiée. La lettre dédicace « À Arsène Houssaye » qui ouvre le recueil revendique « le miracle d'une prose poétique, musicale, sans rythme et sans rime, assez souple et assez heurtée pour s'adapter aux mouvements lyriques de l'âme, aux ondulations de la rêverie, aux soubresauts de la conscience ».

Ces formules et ces prises de position continuent de requérir les poètes d'aujourd'hui.

Éternel et transitoire

Dans *Le Peintre de la vie moderne* (où est opérée une efficace distinction entre la beauté ponctuelle – celle qui obéit aux critères d'une époque, à la mode – et la beauté qui traverse les âges), Baudelaire a écrit des pages lumineuses sur les rapports entre la poésie et l'enfance :

> « L'enfant voit tout en *nouveauté* ; il est toujours *ivre*. Rien ne ressemble plus à ce qu'on appelle l'inspiration, que la joie avec laquelle l'enfant absorbe la forme et la couleur. J'oserai pousser plus loin : j'affirme que l'inspiration a quelque rapport avec la *congestion* et que toute pensée sublime est accompagnée d'une secousse nerveuse plus ou moins forte, qui retentit jusque dans le cervelet. L'homme de génie a les nerfs solides ; l'enfant les a faibles. Chez l'un, la raison a pris une place considérable ; chez l'autre, la sensibilité occupe presque tout l'être. Mais le génie n'est que l'*enfance retrouvée* à volonté, l'enfance douée maintenant, pour s'exprimer, d'organes virils et de l'esprit analytique qui lui permet d'ordonner la somme de matériaux involontairement amassée. »

Pour Baudelaire, l'artiste est celui qui s'efforce de « tirer l'éternel du transitoire » et qui a le souci d'un « nouveau » qui corresponde à la fois, dans un rapport contradictoire, à la demande de son époque et au rêve d'une beauté intangible. La modernité de Baudelaire réside dans cette lutte pour concilier l'inconciliable.

2. Rimbaud

La révolte

Arthur Rimbaud ne manque pas, dans sa lettre dite « du voyant », de considérer Baudelaire comme un « vrai Dieu ». C'est qu'il a libéré la poésie de nombreux carcans esthétiques ou moraux. Rimbaud contribue, dès ses premiers vers (même s'ils sont teintés de certaines influences comme celle de Hugo ou de Banville), à affranchir la poésie par le biais d'une révolte multiforme qui affecte aussi bien la religion que l'amour (voir la parodie grinçante des « *Réparties de Nina* ») ou l'ordre social (le jeune poète prend fougueusement parti pour la Commune et devient, selon l'expression de Pierre Jean Jouve « l'œil de la catastrophe »). La révolte chez Rimbaud n'est pas seulement thématique ; elle affecte le langage lui-même qui se complaît dans une provocante scatologie (il ne faudrait pas oublier que Rimbaud est l'auteur des *Stupra* au nombre desquels il y a un *Sonnet du trou du cul*). Le corps est ici requis, et le corps du langage. Dans *Ce qu'on dit au poète à propos de fleurs*, Rimbaud règle ses comptes avec les thèmes du Parnasse et il prend ironiquement à témoin Théodore de Banville à qui il adresse son poème : *Ai-je progressé ?*. Rimbaud progresse, en fait, à vive allure. S'il écrit *Le Bateau ivre*, bel exercice de style par lequel il en finit avec l'image éculée de l'évasion exotique, c'est pour se cantonner à une simple « flache »

> *Noire et humide où vers le crépuscule embaumé*
> *Un enfant accroupi plein de tristesse, lâche*
> *Un bateau frêle comme un papillon de mai.*

Et il se lance dans l'écriture de *Voyelles* où il se laisse aller à une dérive linguistique qui l'enflamme. Bientôt Rimbaud rejoint Verlaine à Paris. Il y compose les étranges poèmes de 1872 dominés par des rythmes impairs et surtout par une singulière rétention du sens.

Dérèglement de tous les sens

Rimbaud met en quelque sorte en pratique les préceptes de ses lettres dites « du voyant » écrites les 13 et 15 mai 1871 dans l'enthousiasme révolutionnaire de la Commune. Certaines formules de ces lettres peuvent servir d'emblème à toute la poésie moderne.

> *Maintenant je m'encrapule le plus possible. Pourquoi ? Je veux être poète, et je travaille à me rendre* voyant *: vous ne comprendrez pas tout, et je ne saurais presque vous expliquer. Il s'agit d'arriver à l'inconnu par le dérèglement de* tous les sens. *Les souffrances sont énormes, mais il faut être fort, être né poète, et je me suis reconnu poète. Ce n'est pas du tout ma faute. C'est faux de dire : Je pense, on devrait dire : On me pense. – Pardon du jeu de mots.*

Et Rimbaud de poursuivre par le célèbre « Je est un autre ».

Dans la lettre du 15 mai 1871, Rimbaud parlera d'un long, immense et raisonné *dérèglement* de *tous les sens* ».

Le poète ne veut plus être l'expression de sa seule subjectivité. Son « je » doit épouser et se confondre avec l'« autre », et sa parole être l'émanation de forces psychiques conjuguées et communiantes. Pour user du vocabulaire lacanien, on pourrait dire que Rimbaud n'est plus le poète du « Je pense », mais du « Ça pense ».

Quant au « raisonné *dérèglement* » invoqué par Rimbaud, il implique « tous les sens », c'est-à-dire qu'il touche à la sensualité (en 1872, Rimbaud découvre l'homosexualité et les paradis artificiels du haschich), mais qu'il concerne également le dérèglement des significations. La poésie n'a plus à véhiculer du signifié, elle peut se contenter du signifiant. Interrogé par sa mère sur le sens de ses poèmes, Rimbaud lui aurait répondu qu'ils devaient être compris « littéralement et dans tous les sens ». La polysémie ici est requise.

« La réalité rugueuse à étreindre »

Dans *Une Saison en enfer*, composée en 1873, Rimbaud entreprend une remise en question de sa vie avec Verlaine en même temps qu'il se penche sur son entreprise de voyant, sur cette « alchimie du verbe », dont il a rêvé en utilisant tour à tour « l'hallucination simple » (« je voyais très franchement une mosquée à la place d'une usine ») et l'hallucination des mots. Dans le dernier texte de la *Saison*, Rimbaud dit « adieu » à son entreprise ambitieuse et quasi divine. Il écrit :

> « *J'ai cru acquérir des pouvoirs surnaturels. Eh bien ! je dois enterrer mon imagination et mes souvenirs ! Une belle gloire d'artiste et de conteur emportée !*
>
> *Moi ! moi qui me suis dit mage ou ange, dispensé de toute morale, je suis rendu au sol, avec un devoir à chercher, et la réalité rugueuse à étreindre ! Paysan !* »

Et il ajoute, dans son souci de répudier toute tentation transcendante :

> « *Point de cantiques : tenir le pas gagné.* »

« Tenir le pas gagné » : beaucoup de poètes contemporains reprendront cette formule qui assigne à la poésie une tâche limitée, loin des élans et des rêves romantiques.

Provocation et frustration

Illuminations est certainement la dernière œuvre de Rimbaud, et il est malaisé d'en dater les textes. Du moins le poète nous livre-t-il là des textes surprenants de modernité. Chez lui, point de souci d'une signification à transmettre. Au contraire, c'est la frustration du lecteur qui est de mise (forme subtile de la provocation dont Lautréamont, l'exact contemporain de Rimbaud, sera aussi un adepte, mais par le biais du sadisme et de la cruauté).

Dans *Parade*, Rimbaud semble nous décrire tour à tour un défilé militaire et une cérémonie religieuse. Mais au terme de son poème, Rimbaud ne consent qu'à cette conclusion provocante : « J'ai seul la clef de cette parade sauvage ».

Dans *H*, Rimbaud entraîne le lecteur sur le terrain d'une fuyante devinette (« trouvez Hortense »). Le secret du poème est-il référentiel ou textuel (un textuel qui a partie liée avec le sexuel) ? Avec Rimbaud, on assiste, en fait, à l'émergence très moderne d'une dynamique du langage qui est plus expressive que le sens même. La poésie y gagne des attributs essentiels, et Mallarmé pourra à juste titre reconnaître en Rimbaud un « passant considérable ».

3. Mallarmé

Mallarmé est incontestablement le personnage-clé de la modernité, le poète, sinon le plus revendiqué, du moins le plus questionné, ... et questionneur ! Adulé par les uns, il se voit régulièrement contesté par des courants poétiques conservateurs qui condamnent son prétendu hermétisme. Mais qu'en est-il vraiment de cet hermétisme ? Le parcours poétique et les positions théoriques de Mallarmé pourront nous éclairer.

On se fait souvent de Mallarmé l'image d'un homme partisan de l'élitisme – et il est bien vrai que les premiers textes critiques du poète, regroupés sous le titre *Hérésies artistiques*, s'attachent à dénoncer l'idée, selon lui démagogique, de « l'art pour tous ». Sur ce point, les propos de Mallarmé sont célèbres :

> « Toute chose sacrée et qui veut demeurer sacrée s'enveloppe de mystère. Les religions se retranchent à l'abri d'arcanes dévoilés au seul prédestiné : l'art a les siens.
>
> La musique nous offre un exemple. Ouvrons à la légère Mozart, Beethoven ou Wagner, jetons sur la première page de leur œuvre un œil indifférent, nous sommes pris d'un religieux étonnement à la vue de ces processions macabres de signes sévères, chastes, inconnus. Et nous refermons le missel vierge d'aucune pensée profanatrice.
>
> J'ai souvent demandé pourquoi ce caractère nécessaire a été

refusé à un seul art, au plus grand. Celui-là est sans mystère contre les curiosités hypocrites, sans terreur contre les impiétés, ou sous le sourire et la grimace de l'ignorance et de l'ennemi.

Je parle de la poésie. Les *Fleurs du Mal*, par exemple, sont imprimées avec des caractères dont l'épanouissement fleurit à chaque aurore les plates-bandes d'une tirade utilitaire, et se vendent dans des livres blancs et noirs, identiquement pareils à ceux qui débitent de la prose du vicomte du Terrail ou des vers de M. Legouvé.

Ainsi les premiers venus entrent de plain-pied dans un chef-d'œuvre, et depuis qu'il y a des poètes, il n'a pas été inventé, pour l'écartement de ces importuns, une langue immaculée – des formules hiératiques dont l'étude aride aveugle le profane et aiguillonne le patient fatal ; – et ces intrus tiennent en façon de carte d'entrée une page de l'alphabet où il ont appris à lire.

O fermoirs d'or des vieux missels ! ô hiéroglyphes inviolés des rouleaux de papyrus !

Qu'advient-il de cette absence de mystère ?

Comme tout ce qui absolument beau, la poésie force l'admiration ; mais cette admiration sera lointaine, vague, – bête, elle sort de la foule. Grâce à cette sensation générale, une idée inouïe et saugrenue germera dans les cervelles, à savoir, qu'il est indispensable de l'*enseigner* dans les collèges, et irrésistiblement, comme tout ce qui est enseigné à plusieurs, la poésie sera abaissée au rang d'une science. Elle sera expliquée à tous également, égalitairement, car il est difficile de distinguer sous les crins ébouriffés de quel écolier blanchit l'étoile sibylline. »

Donner « un sens plus pur aux mots de la tribu »

Mallarmé a écrit : « double état de la parole, brut ou immédiat ici, là essentiel » – faisant une distinction célèbre entre le langage poétique et le langage journalistique – celui de tous les jours. Le poète use certes de ce langage de tous les jours, mais d'une manière telle que celui-ci se retrouve métamorphosé – une façon magistrale de donner « un sens plus pur aux mots de la tribu ». Pour Mallarmé, ce n'est pas sa subjectivité que le poète a charge d'exprimer, il se propose au contraire d'atteindre à l'impersonnalité et de se fondre dans le grand tout anonyme afin d'être justement en mesure de « tout recréer ». Dans une lettre à son ami Cazalis du 17 mai 1867, le jeune Mallarmé écrivait déjà :

> « Ma Pensée s'est pensée et est arrivée à une Conception Divine. Je suis maintenant impersonnel, [...] une aptitude qu'a l'Univers spirituel à se voir et à se développer, à travers ce qui fut moi. »

Il s'agit de se « retrancher » pour mieux ressaisir une création dont on a accepté de se dessaisir. Mallarmé s'en explique, sous la forme d'une auto-interrogation :

> « Sait-on ce que c'est qu'écrire ? Une ancienne et très vague mais jalouse pratique, dont gît le sens au mystère du cœur. Qui l'accomplit, intégralement, se retranche. Autant, par ouï-dire, que rien existe et soi, spécialement, au reflet de la divinité éparse, c'est, ce jeu insensé d'écrire, s'arroger, en vertu d'un doute – la goutte d'encre apparentée à la nuit sublime – quelque devoir de tout recréer, avec des réminiscences, pour avérer qu'on est bien là où l'on doit être (parce que, permettez-moi d'exprimer cette appréhension, demeure une incertitude). »

Pourtant, quoi qu'il veuille et quoi qu'il fasse, le poète demeure confronté à cette barrière insurmontable qu'est le « défaut des langues », fruit de leur multiplicité – et il ne peut s'empêcher de rêver d'une langue « suprême » :

> « Les langues imparfaites en cela que plusieurs, manque la suprême : penser étant écrire sans accessoires, ni chuchotement mais tacite encore l'immortelle parole, la diversité, sur terre des idiomes empêche personne de proférer les mots qui sinon se trouveraient, par une frappe unique, elle-même matériellement la vérité... – *Seulement* sachons, *n'existerait pas le vers* : lui, philosophiquement rémunère le défaut des langues, complément supérieur. »

Mallarmé ne voit que le « vers » pour rémunérer et compenser « le défaut des langues ». Il s'agit là d'un creuset original apte à être leur « complément supérieur ». Ce vers est, pour Mallarmé, un condensé syntaxique très élaboré. La syntaxe a d'ailleurs pour but essentiel de freiner la déperdition fatale du sens des mots, qui contamine tout bavardage... La syntaxe « risquée » de Mallarmé (tel un exercice au trapèze, sans filet) vise à une objectivation du discours et consiste à « ne rien dire » au premier degré, afin de mieux se ménager les délices d'une lecture au deuxième ou au troisième degré – ce que Mallarmé, non sans une certaine ironie, revendique ici :

> « Le sot bavarde pour ne rien dire, et errer de même à l'exclusion d'un goût notoire pour la prolixité et précisément afin de ne pas exprimer quelque chose, représente un cas spécial qui aura été le mien. »

Une langue qui ne cherche pas à exprimer quelque chose exprime paradoxalement quelque chose d'autre, d'inattendu et d'imprévu. Le moi s'est définitivement effacé au profit du seul langage :

> « L'œuvre pure implique la disparition élocutoire du poète, qui cède l'initiative aux mots par le heurt de leur inégalité mobilisés. »

Transposition et structure

Il va sans dire que Mallarmé assigne à l'écriture une « action restreinte ». Le resserrement de sa syntaxe s'apparente à une condensation du sens, mais d'un sens prêt à éclater et à se diffuser partout. Dans son écriture, Mallarmé veut susciter un monde qui échappe à l'emprise du moi pour être l'émanation du monde. Du tombeau (archiprésent dans l'œuvre de Mallarmé, il figure la matrice de la création), doit venir une résurrection qui est celle du sens défait et défunt... Pour ce faire, le poète doit descendre au tombeau, s'y perdre afin de « [céder] l'initiative aux mots ».

Le poète qui cède l'initiative aux mots peut sembler courir le risque d'offrir un texte d'autant plus hermétique qu'il est mal maîtrisé. En fait, il fait don au lecteur du privilège rare de lire et d'interroger sa propre obscurité. C'est ce que Mallarmé exprime superbement dans ce texte aux accents prépsychanalytiques :

> « Il doit y avoir quelque chose d'occulte au fond de tous, je crois décidément à quelque chose d'abscons, signifiant fermé et caché, qui habite le commun : car sitôt cette masse jetée vers quelque trace que c'est une réalité, existant, par exemple, sur une feuille de papier, dans tel écrit – pas en soi – cela qui est obscur : elle s'agite, ouragan jaloux d'attribuer les ténèbres à quoi que ce soit, profusément, flagramment. »

L'écriture n'est plus de l'ordre du signifié, elle fait seulement émerger un signifiant fermé et comme caché, qui est enfoui en chacun de nous et qui fera bientôt dire à Jacques Lacan que « l'inconscient est structuré comme un langage ». Cette structure est surtout mise à vif par la syntaxe.

La syntaxe de Mallarmé est faite de torsions multiples, de groupements visibles ou de rapports latents. Elle est en tout cas la pierre angulaire de tout le travail du poète :

> « La Syntaxe –
>
> Pas ses tours primesautiers, seuls, inclus aux facilités de la conversation ; quoique l'artifice excelle pour convaincre. Un parler, le français, retient une élégance à paraître en négligé et le passé témoigne de cette qualité, qui s'établit d'abord, comme don de race foncièrement exquis : mais notre littérature dépasse le « genre », correspondance ou mémoires. Les abrupts, hauts

jeux d'aile, se mireront, aussi : qui les mène, perçoit une extraordinaire appropriation de la structure, limpide, aux primitives foudres de la logique. Un balbutiement, que semble la phrase, ici refoulé dans l'emploi d'incidentes multiple, se compose et s'enlève en quelque équilibre supérieur, à balancement prévu d'inversions.

S'il plaît à un, que surprend l'envergure, d'incriminer... ce sera la Langue, dont voici l'ébat.

– Les mots, d'eux-mêmes, s'exaltent à mainte facette reconnue la plus rare ou valant pour l'esprit, centre de suspens vibratoire ; qui les perçoit indépendamment de la suite ordinaire, projetés, en parois de grotte, tant que dure leur mobilité ou principe, étant ce qui ne se dit pas du discours : prompts tous, avant extinction, à une réciprocité de feux distante ou présentée de biais comme contingence. »

Lire n'est plus une dégustation égoïste mais une pratique qui engage. Ce qu'il y a de nouveau chez Mallarmé – et en quoi il est suivi par les poètes de la modernité – c'est qu'il envisage l'état poétique non pas dans l'écriture mais dans la lecture. Pour lui, c'est le lecteur qui doit être inspiré. Éluard exprimera la même idée, quelques décennies plus tard, en affirmant : « Le poète est celui qui inspire bien plus que celui qui est inspiré ».

Dès 1864, dans une lettre à son ami Cazalis, Mallarmé définissait très bien sa visée poétique : « Peindre, non la chose, mais l'effet qu'elle produit ». Vingt ans plus tard, répondant à l'enquête de Jules Huret sur « l'évolution littéraire », Mallarmé sera encore plus explicite :

« *Nommer* un objet, c'est supprimer les trois-quarts de la jouissance du poème qui est faite de deviner peu à peu : le *suggérer*, voilà le rêve. »

Pour Mallarmé, le poème s'apparente à un bijou, il est fait de joyaux aux multiples facettes. Il s'agit de faire miroiter les mots-joyaux grâce à une double opération :

« Cette visée je la dis Transposition – Structure, une autre. »

La transposition consiste à jouer de la pluralité des sens. Le particulier qui lit le journal est surpris de ne pas comprendre un poème qui use pourtant des mêmes mots que l'auteur d'un article :

« s'il lui arrive de les retrouver en tel mien poème, il ne les comprend plus ! C'est qu'ils ont été récrits par un poète. »

Récrire les mots, c'est faire jaillir d'eux toute une série de virtualités à peine soupçonnées, c'est les faire passer de l'univocité à la polysémie.

La structure implique, elle, un effort de regroupement ou de reclassement. La fragmentation du sens, qui résulte de la transposition, conduit à l'élaboration d'une structure qui touche à la fois à la prosodie, au rythme (« mettre à côté de l'alexandrin dans toute sa tenue, une sorte de jeu courant pianoté ») et surtout à la syntaxe chargée d'abolir le hasard et de donner au langage sa forme la plus adéquate – c'est-à-dire la plus porteuse de sens. Le mot n'est rien en soi ; seul le vers (et ce terme va chez Mallarmé bien au-delà de la versification codifiée) forme l'unité minimale du poème (« le vers n'étant autre qu'un mot parfait, vaste, natif »). Toutes les structures partielles sont d'ailleurs pour Mallarmé les éléments d'une structure globale – de ce « Livre » architectural et prémidité » que constitue son œuvre.

Un coup de dés...

Mallarmé est enfin l'auteur du « Coup de dés » (le titre exact est « Un coup de dés jamais n'abolira le hasard ») qui est devenu l'emblème de toute écriture « éclatée ». Le poète joue de toutes les possibilités de la typographie, mêlant tous les caractères et s'autorisant de grands espaces blancs où l'œil du lecteur est convié à se reposer ou à méditer. Une aération circule dans le poème. La typographie n'est dès lors plus conçue comme un ornement, mais comme un « jeu » qui investit l'espace de la page pour suggérer des « correspondances ». Les différents corps typographiques ne cherchent pas seulement à frapper l'œil (on a trop souvent réduit la poésie de Mallarmé à une poésie pour l'œil), ils entendent traduire les modulations de la voix :

> « La différence des caractères d'imprimerie entre le motif prépondérant, un secondaire et d'adjacents, dicte son importance à l'émission orale ».

Mallarmé a d'ailleurs toujours jeté un pont entre la Musique et les Lettres et souhaité atteindre la grâce d'une composition poétique capable non seulement de rivaliser avec la composition musicale, mais même de la supplanter :

> « ce n'est pas de sonorités élémentaires par les cuivres, les cordes, les bois, indéniablement mais de l'intellectuelle parole à son apogée que doit avec plénitude et évidence, résulter, en tant que l'ensemble des rapports existant dans tout, la Musique ».

Mallarmé est finalement le poète par lequel toutes les virtualités du dire auront été interpellées. Et c'est là sa vraie grandeur qui dépasse de loin la fortune de cette école symboliste dont il a pu apparaître comme la figure de proue – école qui a connu de belles heures à la fin du XIXe siècle et dans les premières années du XXe siècle (sous l'étiquette de « post-symbolisme »).

4. Qu'est-ce que le symbolisme ?

Le Manifeste de Moréas

La figure la plus représentative du symbolisme – en tant qu'école – est certainement Jean Moréas. C'est lui qui a signé le 18 septembre 1886, dans *Le Figaro*, l'acte de naissance officielle du mouvement. Dans un texte un peu confus qui s'en prend aussi bien au Parnasse qu'au Naturalisme d'Émile Zola, Jean Moréas se laisse aller à des accents idéalistes avec lesquels on a par trop souvent confondu l'expérience de Mallarmé :

> « Ennemie de l'enseignement, de la déclamation, de la fausse sensibilité, de la description objective, la poésie symboliste cherche à vêtir l'Idée d'une forme sensible qui, néanmoins, ne serait pas son but à elle-même, mais qui, tout en servant à exprimer l'Idée, demeurerait sujette. L'Idée, à son tour, ne doit point se laisser priver des somptueuses simarres des analogies extérieures ; car le caractère essentiel de l'art symbolique consiste à ne jamais aller jusqu'à la conception de l'Idée en soi. Ainsi, dans cet art, les tableaux de la nature, les actions des humains, tous les phénomènes concrets ne sauraient se manifester eux-mêmes : ce sont là des apparences sensibles destinées à représenter leurs affinités ésotériques avec des Idées primordiales[1]. »

Récupération et contestation de Mallarmé

Si les œuvres d'un Francis Vielé-Griffin ou d'un Henri de Régnier sont bien dans la ligne de cette profession de foi, ce n'est pas le cas de Mallarmé dont certain idéalisme de jeunesse s'est

1. Cité dans Décaudin Michel, *La crise des valeurs symbolistes*, Toulouse, Privat, 1960.

vite trouvé contesté par une conception quasi matérialiste de l'écriture, sans recours à aucun au-delà, à aucune transcendance... Il y a dans le poème « Prose pour des Esseintes » une strophe où Mallarmé évoque :

> *... une île que l'air charge*
> *De vue et non de visions.*

La critique mallarméenne a très longtemps voulu lire dans cette strophe un éloge des visions (dans le sens romantique) au détriment de la vue, assimilée au constat en ce qu'il a de pauvre ou d'appauvrissant. Or, aujourd'hui, des poètes comme Tortel ou Jaccottet lisent, au contraire, dans cette strophe une apologie de la vue au détriment des visions idéalisantes. C'est là montrer l'ampleur du débat contemporain autour de Mallarmé.

Dans un article intitulé « La Poétique de Mallarmé[1] », Yves Bonnefoy considère que celui-ci s'est par trop coupé de la Nature pour s'empiéger dans un langage clos et fermé. Baudelaire incarnerait, lui, la poésie ouverte, la seule que la modernité devrait, à ses yeux, revendiquer. Mais la clôture du langage, lorsqu'elle est acceptée, voulue et poussée jusqu'à ses limites extrêmes, est peut-être la meilleure façon d'aboutir à une ouverture sur une réalité autre, sans tenir compte de la croyance à une réalité référentielle – qui pourrait bien être une illusion – à laquelle Yves Bonnefoy semble se cantonner dans son aversion à l'égard du « signifiant ».

Des formules diverses

Au-delà de la figure très spéciale de Mallarmé, le symbolisme se présente globalement comme une école qui lie les techniques de la création poétique et certaine référence à une métaphysique de la poésie. Y domine la tradition néoplatonicienne selon laquelle c'est l'Idée qui fonde l'Etre.

Mais on ne saurait oublier que l'Idée repose sur un langage dont l'autonomie résulte d'un savant dosage de relations verbales. C'est ce quaffirme par exemple Stuart-Merrill dans son *Credo* de 1892. Mais il faut reconnaître que la définition du symbole demeure malaisée. Est-il proche de l'allégorie, parent

1. In *le Nuage rouge*, Paris, Mercure de France, 1977.

des « correspondances » au sens baudelairien ? Pour le clan des « wagnériens », il serait la formulation du mythe, tandis que pour les disciples de Mallarmé (qui se retrouvent autour du Maître lors des célèbres Mardis de la rue de Rome), il s'assimilerait au déchiffrement du mystère (Mallarmé est l'auteur du *Mystère dans les Lettres*) par le biais de la suggestion.

Les définitions ne manquent guère, de Georges Vanor qui, dans *L'art symboliste* (1889) affirme que « l'Univers n'est que le symbole d'un autre monde » et qu'il figure « le livre de Dieu », à Charles Morice qui, dans *La littérature de tout à l'heure* en appelle à un mysticisme nouveau fondé sur « la Loi de l'analogie et l'Évangile des correspondances ». L'idée de l'art comme sacerdoce est toute proche. Mais tandis que certains symbolistes se complaisent dans le surnaturel, le féérique ou le légendaire (les bien oubliés Ephraïm Mikhaël, Gustave Kahn ou Retté), d'autres, tel René Ghil (un moment soutenu par Mallarmé pour son *Traité du Dire*), s'adonnent à des recherches d'ordre plus linguistiques, fort timides il est vrai...

De toute façon, l'auteur du *Manifeste symboliste*, Jean Moréas, tourne bientôt casaque et fonde en 1891 l'École Romane qui revendique un retour à la tradition et aux valeurs du Grand Siècle. Les valeurs symbolistes dès lors se dissolvent – ce qui ne veut point dire qu'elles disparaissent ; tous les mouvements littéraires se perpétuent au-delà de leur âge d'or... D'aucuns préfèrent tourner le dos à l'hermétisme – ou supposé tel – de Mallarmé et se montrer plus sensibles à la musicalité de Verlaine. D'autres se sentent requis par le décadentisme fin-de-siècle hérité de Huysmans.

S'il est, quand même, une innovation soutenue par la plupart des tenants du mouvement, c'est la disparition progressive de la distinction entre le vers et la prose rythmée. Quelques descendants des symbolistes la pousseront assez loin ; les « prières » de Francis Jammes ou les « ballades » de Paul Fort en sont un exemple qui, loin du corset mallarméen, cherchent à s'adapter – avec bonheur – au langage parlé...

Paul Claudel sera, lui, moins étranger à Mallarmé, lorsqu'il confectionnera le verset qui magnifie ses *Cinq grandes Odes* où d'aucuns voudraient voir l'origine de la poésie condensée et luxuriante de Saint-John Perse.

Mais s'il est un disciple de Mallarmé, ce serait plutôt Paul Valéry qui, dans *Variété III*, a bien perçu l'ampleur de la métaphore mallarméenne – ce moyen d'accès à la « Notion pure » : « La métaphore, de joyau qu'elle était, ou de moyen momentané, semble ici recevoir la valeur d'une relation symétrique fondamentale. »

Il est vrai que la réflexion de Valéry va bien au-delà des petites formules ou recettes dont s'accomoderont maints poètes symbolistes...

Dépasser le symbolisme : l'Abbaye et l'Unanimisme

En tout cas, le début du XXe siècle voit l'éclosion d'une multitude de mouvements en -isme. La poésie cherche une définition et des assises. Dans son désarroi, elle en appelle à l'autorité – fort éphémère – des Manifestes. Si le futurisme, mais surtout Dada et le surréalisme ont laissé des traces que la modernité ne peut contourner, il est en revanche de nombreuses « écoles » qui sont tombées dans un oubli fort justifié. Le plus souvent, il s'agissait de trouver un dérivatif au symbolisme envahissant et d'aller vers davantage de simplicité.

Dans la première décennie du XXe siècle, on peut cependant retenir l'expérience des poètes de l'Abbaye (ils se réunirent quelque temps, autour de Georges Duhamel et de Charles Vildrac, à l'abbaye de Créteil) qui aspiraient à une fraternité humaine inspirée par Walt Whitman dont on découvrait la traduction de *Feuilles d'herbe*, et l'Unanimisme de Jules Romains. Ce dernier, dans *La Vie unanime*, discerne dans tous les mouvements qui affectent une ville (les premiers avions qui la sillonnent, les trains, les voitures ou la foule anonyme), une âme qui les unifie. La poésie serait la traduction quasi sociologique de cette âme.

Le futurisme, beaucoup plus branché sur la notion de progrès et surtout de vitesse, ne tardera pas à recouvrir l'Unanimisme et à le faire basculer dans l'oubli. S'ouvrira dès lors l'ère des avant-gardes qui va donner des rides marquées à tout ce qui les a précédées.

VI. Le siècle nouveau et les avant-gardes

Les mouvements poétiques et, plus généralement, artistiques du XXe siècle se caractérisèrent par un coup d'éclat initial et par une volonté de faire table rase du passé, même le plus immédiat.

Les avant-gardes du début du siècle se résument souvent pour nous à Dada et au surréalisme, mouvements qui ont de toute évidence éclipsé ceux qui les ont devancés ou escortés. Mais il faut se rendre à l'évidence : Dada et le surréalisme ne sont pas nés de rien. Tout un cheminement les a conduits au moment propice à leur émergence. Ces mouvements sont internationaux – ou à vocation internationale – et la remise en question de l'art affecte toute l'Europe, spécialement l'Allemagne, l'Italie et la Russie.

1. L'Expressionnisme allemand

L'Expressionnisme allemand joue un rôle important au début de ce siècle, d'autant que sa sphère d'influence s'étend à l'Autriche, à la Tchécoslovaquie et à la Suisse (c'est à Zurich qu'en 1916 Dada verra le jour). Les peintres sont les pionniers et les artisans de l'expressionnisme. Des expositions et des regroupements de peintres sont l'occasion pour eux d'assigner à l'art des objectifs nouveaux, et de les mettre en pratique.

En 1905, Kirchner et Heckel créent à Dresde le groupe *Die Brücke* (*Le Pont*). Bientôt rejoints par Emil Nolde, ils forment la première vague expressionniste. Il s'agit de tourner le dos à l'impressionnisme et à la distillation d'un réel magnifié. Au contraire, ce qui est prôné et pratiqué, c'est une violente agression de l'œil, à partir de couleurs crues, de visions monstrueuses et d'une morbidité affichée. La seconde vague de l'expressionnisme, *Der Blaue Reiter* (*Le Cavalier bleu*) regroupera en 1911 à Munich des peintres comme Kandinsky, Franz Marc et August Macke que rejoindront Paul Klee, Kubin et même le musicien Arnold Schönberg. Tous ont subi l'influence du cubisme de Delaunay et du fauvisme, mais ils visent surtout à une construction très élaborée de leurs toiles selon les principes exposés par Kandinsky dans *Du spirituel dans l'art* qui vient de paraître.

Une génération de poètes expressionnistes naît dans la mouvance de cet élan suscité par les peintres. Elle s'exprime dans des poèmes par une exaltation de la vie, par un hymne aux « forces tumultueuses » et aux « villes tentaculaires » chantées en France par Émile Verhaeren (qui est connu et traduit en Allemagne), et par une aspiration à la fraternité universelle héritée des écrits de Walt Whitman qu'on apprécie également pour ses opinions socialistes. Il s'agit d'en finir avec le culte impressionniste du moi et, pour les plus radicaux, de se mettre au service de la révolution. Mais l'expressionnisme n'exclut pas pour autant une peinture triste et sordide de la vie – une vie qu'il faut changer ou qui, autrement, vous écrase (le nombre des poètes suicidés, notamment Georg Trakl, n'est pas négligeable, en plus de l'hécatombe de la Première Guerre mondiale).

Le poète expressionniste est à la fois horrifié et fasciné par le chaos où le monde s'engouffre aux approches de la guerre. Mais sa plume continue à brasser des thèmes plutôt qu'elle ne s'adonne à des recherches formelles ou qu'elle ne vise à l'abstraction radicale d'un Kandinsky. Georg Heym, Franz Werfel, Georg Trakl, Gottfried Benn ne négligent ni la narration ni l'agencement du poème en drame, même s'ils ne se satisfont pas de développements linéaires.

August Stramm (1874-1915) est un des seuls poètes à subir l'influence des futuristes et à briser audacieusement la linéarité de ses poèmes. Il se contente parfois d'aligner des mots, d'en inventer, de les déformer en onomatopées. Mais sa mort au début de la guerre l'empêche de mener plus loin une tentative qui sera prolongée par Dada à Zurich ou par Karl Schwitters à Hanovre.

2. Le Futurisme italien

Les Manifestes de Marinetti

L'émancipation à l'égard du langage n'est pas précisément le fait des poètes expressionnistes allemands, malgré l'exemple donné par les peintres. En revanche, le futurisme, qu'il soit italien ou russe, va sur ce point se révéler plus novateur. L'initiateur du futurisme, Marinetti (1876-1944) est un riche oisif qui, poète médiocre, a un sens médiatique affûté et qui lance en 1909 un *Manifeste du futurisme* appelé à avoir un grand retentissement. Ce *Manifeste* paraît le 20 février, en français, dans *Le Figaro* avant d'être repris quelques jours plus tard en italien dans *Poesia.* C'est dire que Marinetti visait un public international. Le *Manifeste du futurisme* de 1909 (car il y en aura d'autres) commence par une exaltation de la vitesse que l'auteur dit avoir ressenti au volant de son automobile (objet de grand luxe, à l'époque). C'est sous le coup de l'ivresse qu'il a éprouvée que Marinetti dicte les premiers points de son manifeste :

> « 1. Nous voulons chanter l'amour du danger, l'habitude de l'énergie et la témérité.
>
> 2. Les éléments essentiels de notre poésie seront le courage, l'audace et la révolte.
>
> 3. La littérature ayant jusqu'ici magnifié l'immobilité pensive, l'extase et le sommeil, nous voulons exalter le mouvement agressif, l'insomnie fiévreuse, le pas de gymnastique, le saut périlleux, la gifle et le coup de poing.
>
> 4. Nous déclarons que la splendeur du monde s'est enrichie d'une beauté nouvelle : la beauté de la vitesse. Une automobile de course avec son coffre orné de gros tuyaux tels des serpents à l'haleine explosive... une automobile rugissante, qui a l'air de courir sur de la mitraille, est plus belle que la *Victoire de Samothrace*[1]. »

Marinetti jure par « l'énergie » poétique (il a lu Nietzsche), par le « mouvement agressif » qui la sous-tend et par la « beauté de la vitesse ». Il va ensuite jusqu'à avancer qu'il n'y a pas « de chef-d'œuvre sans un caractère agressif », et il n'hésite pas à faire l'apologie de la guerre, « seule hygiène du monde ». Et ce qu'il finit par prôner, c'est la destruction de tout ce qui est de l'ordre du passé au profit du « moderne » :

---

1. Cité par Serge Fauchereau *in Expressionnisme, dadaïsme, surréalisme et autres ismes*, Paris, Denoël, 1976.

« 10. Nous voulons démolir les musées, les bibliothèques, combattre le moralisme, le féminisme et toutes les lâchetés opportunistes et utilitaires.

11. Nous chanterons les grandes foules agitées par le travail, le plaisir ou la révolte ; les ressacs multicolores et polyphoniques des révolutions dans les capitales modernes ; la vibration nocturne des arsenaux et les chantiers sous leurs violentes lunes électriques ; les gares gloutonnes avaleuses de serpents qui fument ; les usines suspendues aux nuages par les ficelles de leurs fumées ; les ponts aux bonds de gymnastes lancés sur la coutellerie diabolique des fleuves ensoleillés ; les paquebots aventureux flairant l'horizon ; les locomotives au grand poitrail, qui piaffent sur les rails, tels d'énormes chevaux d'acier bridés de longs tuyaux, et le vol glissant des aéroplanes, dont l'hélice a des claquements de drapeau et des applaudissements de foule enthousiaste[1]. »

On ne peut pas vraiment dire que Marinetti propose un programme changeant la poésie de fond en comble. Ce qu'il avance dans le paragraphe 11 n'est le plus souvent que la reprise d'objectifs prônés par Walt Whitman, puis par l'unanimisme de Jules Romains. L'ombre d'Émile Zola n'est pas loin, et le romancier naturaliste est d'ailleurs cité parmi les « quatre ou cinq précurseurs du futurisme » avec Walt Whitman. Et Marinetti conclut en affirmant que dans le monde moderne livré à la vitesse et au progrès, « l'art ne peut être que violence, cruauté et injustice » – propos où l'on sent poindre le fascisme dont l'auteur bientôt se prévaudra.

Mais, dans l'immédiat, Marinetti a plutôt le souci d'étoffer son *Manifeste* et de lui donner une suite où seront exposés les moyens techniques mis à la disposition des poètes futuristes. C'est en 1912 que Marinetti publie son *Manifeste technique de la littérature futuriste* qui s'ouvre sur des considérations d'ordre syntaxique et stylistique :

« 1. — Il faut détruire la syntaxe en disposant les substantifs au hasard de leur naissance.

2. — Il faut employer le verbe à l'infini, pour qu'il s'adapte élastiquement au substantif et ne le soumette pas au moi de l'écrivain qui observe ou imagine. Le verbe à l'infini peut seul donner le sens du continu de la vie et l'élasticité de l'intuition qui la perçoit.

3. — Il faut abolir l'adjectif pour que le substantif nu garde sa

1. *Ibid.*

couleur essentielle. L'adjectif portant en lui un principe de nuance est incompatible avec notre vision dynamique, puisqu'il suppose un arrêt, une méditation.

4. — Il faut abolir l'adverbe, vieille agrafe qui tient attachés les mots ensemble. L'adverbe conserve à la phrase une fastidieuse unité de ton.

5. — Chaque substantif doit avoir son double, c'est-à-dire le substantif doit être suivi, sans locution conjonctive, du substantif auquel il est lié par analogie. Exemple : homme-torpilleur, femme-rade, foule-ressac, place-entonnoir, porte-robinet[1]. »

C'est donc le substantif qui est privilégié au détriment de l'adjectif et de l'adverbe, ces « agrafes » qui brisent la vitesse de la phrase. Marinetti prône l'emploi du verbe à l'infinitif (même si le lapsus « à l'infini » vient sous sa plume), façon pour lui de se rapprocher du substantif dont l'élasticité se mesure à sa faculté de s'accoupler à un double par analogie. Sur ce point, Marinetti semble proposer une théorie de l'image qui n'est pas tellement éloignée de celle que Reverdy défendra quelques années plus tard.

Il convient cependant de remarquer que les principes édictés par Marinetti seront loin d'être appliqués par lui-même et ses amis futuristes. Une fois de plus, on constate un écart entre la théorie et la pratique !

Le troisième *Manifeste* important de Marinetti paraît en 1913 sous le beau titre : *Imagination sans fils – mots en liberté*. Il insiste sur la révolution typographique dont les textes futuristes pourraient tirer bénéfice. L'illustration prend le pas sur le poème – revendication qui n'est pas tout à fait nouvelle puisque Mallarmé l'a déjà mise en pratique dans le *Coup de dés*. Mais l'expression « mots en liberté » connaîtra une belle fortune, reprise aussi bien par les dadaïstes que par les surréalistes.

En 1914, dans *La Splendeur géométrique et mécanique et la sensibilité numérique*, Marinetti prône l'invention de « tables synoptiques de valeurs lyriques » capables de nous faire découvrir simultanément plusieurs courants de sensations. Les ambitions de Marinetti sont multiformes, et elles correspondent à une demande de l'époque, puisque, en France, Nicolas Beauduin a lancé une idée semblable dans son *Manifeste du paroxysme* de 1911. Marinetti va plus loin encore en recommandant aux poètes

1. *Ibid.*

l'utilisation tous azimuts des onomatopées. Il suggère notamment de remplacer les descriptions de type traditionnel par des précisions exclusivement numériques livrées sous forme d'onomatopées. Ainsi, plutôt que d'écrire : « Les habitants de tel ou tel village entendent cette cloche », on pourrait proposer : « don don cloches ampleur du son 20 km ».

Le futurisme s'oriente donc vers des recherches qui portent à la fois sur le visuel et sur le phonétique. Le poème phonétique n'est pas loin, que Hugo Ball concevra en 1916.

Une question troublante

Si les idées de Marinetti ne sont pas sans avoir eu de l'influence jusqu'à la Première Guerre mondiale, certains aspects douteux de ses premiers *Manifestes* ont contribué fortement à la marginalisation de cet avant-gardiste qui nous apparaît aujourd'hui comme une sorte de Salvador Dali avant la lettre. Une des phrases du premier *Manifeste* de 1909 ne manque pas d'inquiéter :

> « Nous voulons glorifier la guerre – seule hygiène du monde –, le militarisme, le patriotisme, le geste destructeur des anarchistes, les belles Idées qui tuent, et le mépris de la femme[1]. »

La femme, dans la mesure où elle vole à l'homme son agressivité de combattant potentiel, doit en effet être à l'écart – selon les dires de Marinetti qui affirmait d'ailleurs vouloir être « le Déroulède italien » ! Il n'est donc point surprenant que, se tournant vers la politique, Marinetti ait adhéré au fascisme et qu'il se soit lié d'amitié avec Mussolini. Cette dérive n'est pas sans poser une question troublante et capitale : l'étiquette d'avant-garde serait-elle toujours le gage de l'adhésion à une idéologie progressiste, ou bien peut-elle masquer des engagements plutôt rétrogrades ?

3. Le Futurisme russe

Le futurisme russe se distingue grandement du futurisme italien, même s'il en a entendu le message. Au début du XXe

1. *Ibid.*

siècle, les poètes russes sont encore sous le charme du symbolisme franco-belge. En 1904, la grande revue officielle, *La Balance*, est d'obédience symboliste, et les écrivains ne semblent pas prêts à s'écarter de ce sillage. En fait, ce sont les peintres qui, comme en Allemagne, vont se révéler être les vrais novateurs, notamment Michel Larionov et Nathalie Gontcharova qui prônent un style « primitiviste » plutôt déroutant où les distorsions ne visent pas à une quelconque expressivité mais se contentent d'être une provocation délibérée. L'utilisation des graffiti est même revendiquée.

Khlebnikov

Le poète Vélimir Khlebnikov (1885-1922) se sent d'emblée proche des audaces primitivistes. Ses poèmes surprennent par la présence dominante de jeux linguistiques. En 1910, « La Conjuration par le rire » est un poème composé en jouant simplement de dérives du mot « rire » assorti de tous les préfixes et suffixes possibles et imaginables. Lorsque en 1911 un mouvement futuriste se crée en Russie, Khlebnikov en est l'incontestable maître à penser, même si c'est l'obscur poète David Bourliouk qui en prend la direction. Pourtant l'élément le plus extrémiste se révèlera bientôt être Alexei Kroutchenykh (1886-1968).

Au tout début, le groupe se baptise *Hylaea*, défend « l'art primitiviste », privilégie les enseignes et les peintures naïves, défend les dessins d'enfants et les poèmes composés par eux. Il y a une volonté marquée de retour au primitif qu'incarne à merveille l'enfant. En 1914, Khlebnikov retirera d'un recueil collectif ses propres poèmes afin d'y mettre à leur place les poèmes d'une fillette de 13 ans. Mais ces gestes spectaculaires ne tiennent pas lieu de programme à proprement parler.

C'est en 1912 que paraît le premier Manifeste signé par Bourliouk, Khlebnikov, Kroutchenykh et un nouveau-venu Maïakovski. Ce manifeste veut faire table rase du passé et il jette « Pouchkine, Tolstoï, etc., par-dessus bord ». En contrepartie, il contient quatre mots d'ordre :

> « Nous ordonnons de respecter le droit du poète :
> 1. — à augmenter en volume son vocabulaire à l'aide de mots arbitraires et dérivés (novation verbale),

2. — à haïr d'une haine irrépressible la langue existant avant lui,
3. — à écarter avec horreur de son front orgueilleux la Couronne, faite par vous de balais de rameaux, d'une gloire de deux sous,
4. — à se dresser sur le roc du mot « nous », au milieu d'une mer de huées et d'indignation.

Et si *pour le moment* subsistent encore,même dans nos lignes, les stigmates malpropres de votre « bon sens » et de votre « bon goût », pourtant on y sent palpiter déjà *pour la première fois* les éclairs de la Nouvelle Beauté Future du V*erbe Autovalable*[1]. »

Sont revendiquées les innovations verbales, tandis que la fonction du poète est désacralisée. Khlebnikov n'appellera pas seulement à la création de mots nouveaux, il se réjouira également des coquilles et des erreurs qui apparaissent sur les épreuves confectionnées par le typographe, et il en réclamera le maintien, au nom du hasard convié à se substituer ainsi parodiquement à l'inspiration trop longtemps vénérée !

Le Zaoum

Les futuristes russes veulent davantage ; ils rêvent d'un langage transmental et suprationnel, le *Zaoum*. Il s'agit de créer des mots imaginaires faits de syllabes ou de lettres isolées sans rapport avec la langue russe. On est proche là d'une poésie phonétique qui ferait presque penser à la « sorcellerie évocatoire » chère à Mallarmé et à une sorte de magie incantatoire. Les mots seraient comparables, toutes proportions gardées, aux prières dont les fidèles épousent la scansion mais ne saisissent pas le sens. Il y a, en fait, une volonté de se dessaisir du sens des mots, d'instaurer une coupure entre le signifiant et le signifié à partir de mots inventés mais aussi déformés (comme le feront plus tard un Raymond Queneau ou un Henri Michaux). L'aspect visuel du poème n'est cependant pas pris en compte, à la différence des futuristes italiens. En 1913, Kroutchenykh rédige une *Déclaration du mot en tant que tel* où celui-ci est invité à être rétabli sans « sa pureté première ». Par défi, Kroutchenykh numérote ses préceptes dans n'importe quel ordre. En voici trois :

1. *Ibid.*

4) LA PENSÉE ET LA PAROLE N'ARRIVENT PAS A SUIVRE LE VÉCU DE L'INSPIRÉ, c'est pourquoi l'artiste est libre de s'exprimer non seulement dans la langue commune (concepts), mais aussi dans sa langue personnelle (le créateur est individuel), une langue qui n'a pas de sens défini (non figée), transmentale. La langue commune lie, la libre permet de s'exprimer plus pleinement (exemple : *ho osnez kayd*, etc.).

5) LES MOTS MEURENT, LE MONDE EST JEUNE ÉTERNELLEMENT. L'artiste a vu le monde d'une manière nouvelle et, comme Adam, donne à toute chose un nom. Le lys est beau, mais affreux le mot de lys, usé et « violé ». C'est pourquoi j'appelle le lys *éoui* : la pureté première est rétablie.

2) Les consonnes donnent la vie pratique, la nationalité, le poids ; les voyelles au contraire LA LANGUE UNIVERSELLE. Poème composé uniquement de voyelles : *o é a*[1]. »

Les futuristes russes ne négligent ni les mots-valises,fussent-ils en plusieurs langues (ce que fera plus tard James Joyce dans *Finnegans Wake*), ni les mots cassés, amputés, broyés. En 1921, Kroutchenykh complètera sa définition du *Zaoum* dans sa *Déclaration de la langue transrationnelle*. Le *Zaoum* — cette « forme primaire » de la poésie – doit surtout être utilisé

> « a) quand l'artiste produit des images qui n'ont pas encore pris une forme définie (en lui ou en dehors),
>
> b) quand il n'est pas nécessaire de nommer un objet, mais seulement de le suggérer. (...) Noms de personnages, de pays, de villes imaginaires (...),
>
> c) quand on perd son sang-froid (haine, jalousie, rage),
>
> d) quand on n'a pas besoin du langage – extase religieuse, amour – pour traduire une exclamation, des interjections, des ronronnements de plaisir, des refrains, babillages enfantins, petits noms affectueux, surnoms[2] (...). »

La provocation langagière se double d'autres actes de provocation. La groupe *Hylaea* qui a accepté en1913 l'étiquette de cubo-futuriste entend suivre l'exemple de Larionov qui, plutôt que de peindre un tableau, s'est un jour peint son propre visage. Certaines soirées du groupe préfigurent les manifestations Dada. Ainsi, lors d'une tournée de conférences dans les grandes villes de Russie, Bourliouk et Maïakovski s'amusent à verser du thé sur le public...

---

1. *Ibid.*
2. *Ibid.*

Maïakovski

Les futuristes russes, qui vont dès 1914 trouver un critique capable de développer leurs thèses et de les théoriser (il s'agit de Chlovski, le futur « formaliste »), n'ont qu'une considération très limitée pour les futuristes italiens qu'ils considèrent comme des « vantards fort en gueule ». Eux sont à la recherche d'images audacieuses et voient sans plaisir arriver la guerre. La Révolution va cependant changer les perspectives. Dispersés par la mobilisation puis par la guerre civile, les futuristes russes s'enthousiasment pour les événements de 1917. Mais c'est dès lors Maiakovski qui devient la figure de pointe. Celui-ci est moins novateur que Khlebnikov, mais il va épouser le mieux le mouvement révolutionnaire, jusque dans ses contradictions. Il a l'avantage d'être soutenu par un homme éclairé, le commissaire à l'Éducation Lounatcharski. Ce dernier prônera le « constructivisme » dont il dira qu'il n'est « rien d'autre que le futurisme adopté par la Révolution et adapté de soi-même aux besoins socio-économiques d'un monde à venir que l'on veut plus juste et plus harmonieux ». Habile récupération, mais le ludisme y abdique tous ses droits. Le futurisme russe a dès lors fait son temps.

4. Le mouvement Dada

Le mouvement d'avant-garde le plus puissant en Europe sera finalement Dada. Son créateur, Tristan Tzara, a déjà écrit, dans sa jeunesse passée en Roumanie, des poèmes dont il n'aura pas à rougir lorsqu'il aura fait triompher Dada. C'est en 1915 que Tzara part pour Zurich où il compte étudier la philosophie. Au Café de l'Odéon, ne vont pas tarder à se côtoyer sans se connaître des hommes aussi différents que Joyce, Lénine et les futurs dadaïstes. Dada a cette curieuse particularité d'être considéré en France comme le mouvement qui précède et annonce le surréalisme, tandis qu'en Allemagne on ne voit en lui qu'un épiphénomène de l'expressionnisme. C'est, il faut le reconnaître, dans une revue expressionniste que paraît le premier manifeste à caractère dadaïste :

> « Nous ne voulons pas jouer sur les finesses étymologiques du mot, mais le prendre tel qu'il est et tel qu'on en a besoin, avec

impertinence, insolence, sans honte et sans crainte d'importuner. Nous voulons nous rallier à cette école, nous, les imprudents, les insolents, les indignes, les cyniques, les non-bourgeois, fiers d'être sans fortune.

Nous ne voulons plus être appelés expressionnistes ! Car s'exprimer est à la portée de n'importe quel écrivassier, n'importe quel idiot...

Nous ne voulons plus être appelés futuristes ! Car nous nous moquons bien du futur...

Nous ne voulons qu'être insolents en toute circonstance ! Nous ne voulons aucunement accumuler notre insolence dans des ouvrages particuliers ! Nous sommes contre toute école particulière de poésie, de peinture ou de musique. Nous contestons la valeur du talent et qu'il puisse conférer à l'homme un droit sur son imbécillité[1]... »

Le cabaret Voltaire

L'acte de naissance de Dada date de 1916. Hugo Ball (1886-1927) ouvre cette année-là à Zurich le cabaret Voltaire – une taverne où l'on devait chanter du Aristide Bruant... Mais le lieu devient vite propice à un brassage de langues diverses, à la lecture de quelques poèmes et à des prises de position violentes contre la guerre – cette « boucherie » qui s'éternise grâce au cynisme des capitalistes.

Au Cabaret Voltaire, où des peintres comme Arp et Marcel Janco se joignent aux poètes présents, on parle beaucoup des divers futurismes ainsi que de l'expressionnisme allemand, et l'on est tenu au courant des découvertes psychanalytiques par certains membres de la Société psychanalytique de Zurich. Les idées bouillonnent.

L'on place très haut Sade, Rimbaud, Lautréamont et Jarry, inconnus du grand public, et le mot « dada » fait son apparition au sens de « poète et réfractaire ». Il sert de fer de lance à la dérision. Pour emprunter au langage du père Ubu, il est « de la merde », mais grand bien lui fasse puisque, proclament les dadaïstes, « nous voulons dorénavant chier en couleurs diverses pour orner le jardin zoologique de l'art de tous les drapeaux des consulats ».

---

1. Tristan Tzara, *Lampisteries, sept manifestes dada*, Paris, Pauvert, 1963.

Tristan Tzara est à l'origine de la publication de *Cabaret Voltaire* qui, le 25 mai 1916, se présente comme une synthèse de l'expressionnisme, des futurismes et du cubisme. Au sommaire on trouve les noms d'Apollinaire, Cendrars, Kandinsky, Marinetti, Picasso, Tzara. En dépit de toutes ces cautions, Tzara n'aime guère Apollinaire qu'il trouve trop cocardier. Du moins a-t-il su s'engager sur des voies poétiques où Tzara consent à le suivre. On le constate dans le premier livre dada qui porte en juillet 1916 le titre de *La Première aventure céleste de monsieur Antipyrine* et qui contient le *Manifeste de monsieur Antipyrine*. Celui-ci navigue joyeusement dans une incohérence calculée :

> « ...nous extériorisons la facilité, nous cherchons l'essence centrale et nous sommes contents si nous pouvons la cacher ; nous ne voulons pas compter les fenêtres de l'élite merveilleuse car DADA n'existe pour personne et nous voulons que tout le monde comprenne cela. Là est le balcon de Dada, je vous assure[1]. »

ou encore :

> « ...l'art n'est pas sérieux, je vous assure, et si nous montrons le crime pour dire doctement ventilateur, c'est pour vous faire du plaisir, bons auditeurs, je vous aime tant, je vous assure et je vous adore[2]. »

En juillet 1917, après maints tâtonnements, Tzara lance sa revue *Dada I*. Il continue, comme dans le *Manifeste de monsieur Antipyrine*, à prendre position contre le modernisme futuriste qui ne se distingue pas fondamentalement à ses yeux du sentimentalisme bourgeois. Mais il faut attendre *Dada 3* (décembre 1918) pour y découvrir le *Manifeste Dada 1918* où un programme est plus explicitement proposé. Tzara qui s'est plusieurs fois élevé contre le dogmatisme se veut antidogmatique dès les premières lignes de son *Manisfeste* :

> « Pour lancer un manifeste il faut vouloir : A.B.C., foudroyer contre 1, 2, 3, s'énerver et aiguiser les ailes pour conquérir et répandre de petits et de grands a, b, c, signer, crier, jurer, arranger la prose sous une forme d'évidence absolue, irréfutable, prouver son non-plus-ultra et soutenir que la nouveauté ressemble à la vie comme la dernière apparition d'une cocotte prouve l'essentiel de Dieu...
>
> J'écris un manifeste et je ne veux rien, je dis pourtant

1. *Ibid.*
2. *Ibid.*

certaines choses et je suis par principe contre les manifestes, comme je suis aussi contre les principes (décilitres pour la valeur morale de toute phrase) – trop de commodité ; l'approximation fut inventée par les impressionnistes. J'écris ce manifeste pour montrer qu'on peut faire les actions opposées ensemble, dans une seule fraîche respiration ; je suis contre l'action ; pour la continuelle contradiction, pour l'affirmation aussi, je ne suis ni pour ni contre et je n'explique pas car je hais le bon sens[1]. »

Cette apparente désinvolture n'empêche pas le développement d'un programme, même s'il est essentiellement destructeur et s'il s'apparente parfois au texte « Mauvais sang » d'*Une saison en enfer* de Rimbaud :

« L'œuvre d'art ne doit pas être la beauté en elle-même, car elle est morte ; ni gaie ni triste, ni claire ni obscure, réjouir ou maltraiter les individualités en leur servant les gâteaux des auréoles saintes ou les sueurs d'une course cambrée à travers les atmosphères. Une œuvre d'art n'est jamais belle, par décret, objectivement, pour tous. La critique est donc inutile, elle n'existe que subjectivement, pour chacun, et sans le moindre caractère de généralité. Croit-on avoir trouvé la base psychique commune à toute l'humanité ? L'essai de Jésus et la bible couvrent sous leurs ailes larges et bienveillantes : la merde, les bêtes, les journées. »

Dès lors :

« Pas de pitié. Il nous reste après le carnage l'espoir d'une humanité purifiée [...] Ainsi naquit DADA d'un besoin d'indépendance, de méfiance envers la communauté. Ceux qui appartiennent à nous gardent leur liberté. Nous ne reconnaissons aucune théorie [...] Je vous dis : il n'y a pas de commencement et nous ne tremblons pas, nous ne sommes pas sentimentaux. Nous déchirons, vent furieux, le linge des nuages et des prières, et préparons le grand spectacle du désastre, l'incendie, la décomposition[2]. »

Tzara propose encore la destruction des « tiroirs du cerveau et ceux de l'organisation sociale » et il poursuit dans le même sens :

« Que chaque homme crie : il y a un grand travail destructif, négatif à accomplir. Balayer, nettoyer. La propreté de l'individu s'affirme après l'état de folie, de folie agressive, complète, d'un monde laissé entre les mains des bandits qui déchirent et détruisent les siècles [...].

1. *Ibid.*
2. *Ibid.*

La morale a déterminé la charité et la pitié, deux boules de suif qui ont poussé comme des éléphants, des planètes et qu'on nomme bonnes. Elles n'ont rien de la bonté. La bonté est lucide, claire et décidée, impitoyable envers la compromission et la politique [...].

Tout produit du dégoût susceptible de devenir une négation de la famille est dada ; protestation aux poings de tout son être en action destructive : DADA ; connaissance de tous les moyens rejetés jusqu'à présent par le sexe pudique du compromis commode et de la politesse : DADA ; abolition de la logique, danse des impuissants de la création : DADA ; de toute hiérarchie et équation sociale installée pour les valeurs par nos valets : DADA[1]... »

Un nihilisme ravageur

Outre les *Manifestes*, Dada se livre à des manifestations de remise en question radicale de l'art. Si l'on convie le public à venir écouter des poèmes (c'était une habitude avant la Première Guerre mondiale), c'est pour le soumettre à des litanies d'onomatopées incompréhensibles ou pour le plonger dans une salle privée de lumière et lui lancer des projectiles divers. L'art s'auréole dès lors d'une valeur nouvelle et capitale : la provocation. Le public ne doit plus « consommer » ou déguster de la poésie ; il lui faut désormais réagir à l'art (comme il eût fallu réagir en son temps à la littérature qui a poussé à la guerre et paré de belles couleurs nationalistes la grande boucherie organisée par les capitalistes). L'art a donc une fonction non pas d'éveil, mais de véritable réveil. Et, à la limite, c'est le public qui est invité à devenir lui-même artiste.

Pour beaucoup de membres du Cabaret Voltaire, l'essentiel est de se débarrasser d'influences antérieures marquantes, comme l'expressionnisme pour Hugo Ball. Tristan Tzara se présente, lui, comme indemne de toute influence, ce qui permet à son nihilisme ravageur d'avoir les coudées franches. Qu'on en juge par divers extraits des *Lampisteries* et *sept Manifestes Dada* que Pauvert a rassemblés en volume en 1963 :

« Dada reste dans le cadre européen des faiblesses, c'est tout de même de la merde, mais nous voulons dorénavant chier en

1. *Ibid.*

> couleurs diverses pour orner le jardin zoologique de l'art de tous les drapeaux des consulats[1]. »

ou :

> « L'art n'est pas sérieux, je vous assure[2]. »

Tzara s'en prend à tous les littérateurs bourgeois qui ont cautionné la guerre :

> « Ils servaient la guerre et, tout en exprimant de bons sentiments, il couvraient de leur prestige une atroce inégalité, une misère sentimentale, l'injustice et la vulgarité[3]. »

5. Apollinaire

Pourtant parmi tous ceux qui ont magnifié la guerre (« Dieu, que la guerre est jolie ! »), se trouve un certain Guillaume Apollinaire que Tzara est loin de récuser tant il a apporté à la modernité une contribution essentielle. En 1913, *Alcools* a frappé les lecteurs par l'extrême liberté d'un ton très varié et par une audacieuse absence de ponctuation, le lecteur étant invité à faire les pauses qui lui conviennent.

Les Calligrammes

Mais Apollinaire se révèle être, peu à peu, pour ceux qui suivent de près la poésie pendant la Première Guerre mondiale, l'auteur de *Calligrammes*. Le recueil ne paraîtra qu'en 1918 et proposera deux types de textes nouveaux : le « poème-conversation » et le « calligramme » proprement dit.

Dans le « poème-conversation », il ne s'agit plus d'obéir à une quelconque inspiration, mais de se contenter d'enregistrer des bribes de conversation et de les transcrire sur la page (finie ainsi la mallarméenne angoisse de la page blanche, tandis que se profilent déjà les expériences surréalistes de sommeils hypnotiques !).

Quant aux « calligrammes », ce sont des poèmes qui prennent

---

1. T. Tzara, *Op. cit.*
2. *Op. cit.*
3. *Op. cit.*

la forme d'un dessin et qui se lisent suivant les sinuosités graphiques. Apollinaire a cette particularité d'avoir été le familier et l'ami des peintres cubistes dès la fin des années 1900. En les voyant travailler et remettre en question une approche trop figurative et photographique de la réalité, Apollinaire s'est convaincu que la poésie devait accomplir une révolution identique à celle de la peinture. On a parfois voulu parler de « poésie cubiste ». En fait, il s'agissait pour l'auteur de *Calligrammes* de soustraire le poème à une linéarité et à une lisibilité immédiate pour obtenir du lecteur une saisie simultanée. La mise en espace du poème l'emporte sur sa temporalité – merveilleuse parade pour maîtriser ce temps fuyant chanté dans *Le Pont Mirabeau* :

> *Vienne la nuit sonne l'heure*
> *Les jours s'en vont je demeure.*

En tout cas, l'espace du calligramme permet au lecteur le libre choix entre les différents éléments du poème.

Dans *Émergences résurgences*[1], Henri Michaux, qui était à la fois peintre et poète, confiait en 1972 qu'il souffrait d'être obligé de composer un poème de gauche à droite et non point de droite à gauche ou de bas en haut. Devant une toile, Michaux se sentait autorisé à commencer n'importe où. Le poème, en revanche, lui paraissait plus contraignant et embrigadant (d'où une célèbre formule comme « A bas les mots »). Le calligramme a pu offrir, au début du siècle, une solution à ce carcan éprouvé par tous les poètes attirés par la peinture.

La poésie assaisonnée

Au-delà du poète d'*Alcools* et de *Calligrammes*, le lecteur d'aujourd'hui est à même d'apprécier une autre œuvre d'Apollinaire, longtemps négligée et pourtant tout aussi novatrice. Il s'agit du *Poète assassiné* qui parut en 1916. Ce « conte » est composé de pièces hétéroclites : bouts de romans ou de pièces de théâtre avortés, récupérés pour raconter la saga d'un certain Croniamental (mélange de l'homme de Cro-Magnon et de l'homme de Néanderthal) – force primitive qui incarne la poésie faite homme.

---

1. Genève, Skira, 1972.

Dans un chapitre capital du *Poète assassiné*, Croniamental rend visite à l'Oiseau du Bénin, qui n'est autre que Pablo Picasso. Croniamental est ébloui par les toiles qui jonchent l'atelier, et il ne veut plus écrire de poèmes traditionnels comme il en a par trop pris l'habitude. Aussi Croniamental offre à son ami peintre, son tout dernier poème, dans lequel il sacrifie encore – mais si peu ! – à la rime :

Luth
Zut !

Par ce poème lapidaire, Croniamental-Apollinaire entend montrer que la rime n'est qu'une convention digne d'un magistral pied de nez... Ce poème est d'autre part, une réponse ironique à un vers célèbre d'Alfred de Musset : « Poète, prends ton luth et me donne un baiser » !

Le poète n'a plus à prendre son luth et à se placer sous la dépendance de la muse. Il lui faut assumer seul son travail d'écriture – travail de démystification auquel le lecteur est convié à s'associer. Une certaine conception romantique du poète se trouve ainsi assassinée. A la confluence du XIXe et du XXe siècles, Apollinaire déplore l'assassinat des poètes (les dernières pages du conte sont fort explicites et s'inscrivent dans la lignée des *Poètes maudits* de Verlaine), mais en même temps il ne peut que se féliciter de la mort des dieux poétiques et de leur sacro-sainte inspiration. L'inspiration n'est d'ailleurs nullement extérieure au poème, elle est dans les mots mêmes du poème et dans le choc hasardeux (mais un hasard bien conduit !) de leurs sonorités. Ainsi le héros qui prend le train pour Monaco se retrouve-t-il à Munich. C'est qu'il a pris son billet en Italie, et qu'en italien Munich se dit Monaco ! Les voyages de Croniamental sont donc des voyages... linguistiques. La naissance de Croniamental à la Napoule aux cieux d'or entraîne une hilarante dérive vers « la poule aux œufs d'or ». C'est dire qu'Apollinaire se présente ainsi comme le lointain précurseur d'un Queneau ou d'un Perec.

Parallèlement Cendrars

Tandis qu'Apollinaire offrait à la modernité quelques armes durables et déterminantes, Blaise Cendrars, lui aussi très attentif à la peinture, donnait en 1913 sa monumentale *Prose du Transsibérien et de la petite Jehanne de France*, long poème à dérouler et illustré de formes géométriques colorées dues au pinceau de Sonia Delaunay.

L'élasticité (Cendrars est l'auteur de *Dix-neuf poèmes élastiques*[1]) s'installe dans la poésie. Libre au poème de s'adapter, tel un muscle, aux variations d'une inspiration qui aime à s'assortir d'une intertextualité dissimulée (comme dans *Kodak*[2], recueil de 1924 où le poète use, sans le dire, de « collages »). Les jalons sont désormais posés d'une voie où les surréalistes n'auront plus qu'à s'élancer.

1. Paris, Au sans Pareil, 1919.
2. Paris, Stock, 1925.

VII. Le Surréalisme

L'histoire du surréalisme est, depuis le livre fondamental de Maurice Nadeau, fort bien connue. Rappelons-en les étapes fondatrices : en mars 1919, André Breton, Louis Aragon et Philippe Soupault lancent une revue, *Littérature*, qui, tout en se plaçant sous l'égide de Valéry et de quelques post-symbolistes, devient l'organe parisien du mouvement Dada que Tristan Tzara a créé trois ans plus tôt à Zurich. Mais *Littérature* a beau commencer par publier les *Manifestes Dada*, elle en assure dans le même temps la liquidation. Comme l'écrit Maurice Nadeau dans son *Histoire du surréalisme* :

> « Dada était sorti vainqueur : il s'agissait d'exploiter sa victoire et non de s'y complaire. Le génie de Breton est d'avoir eu l'intuition de ce nouveau départ[1]. »

André Breton ne veut plus vivre sur ce qui a été acquis, alors que Tzara semble vouloir perpétuer le nihilisme littéraire dont il a été le promoteur. Aussi est-ce avec regret que Breton prend ses distances avec le poète roumain, persuadé qu'il est qu'il faut assigner à la littérature des valeurs nouvelles. Celles-ci sont en germe dans les tentatives d'exploration de territoires inconnus auxquels Breton se livre depuis quelque temps. Car, parallèlement aux manifestations de dérision propres au groupe dada, Breton pratique de nouvelles formes d'écriture. Dès 1919, il s'est associé avec Philippe Soupault pour confectionner le premier ouvrage authentiquement surréaliste, *Les Champs magnétiques*[2]. Le livre est fondé sur l'écriture automatique. Chaque poète

---

1. M. Nadeau, *Histoire du surréalisme*, Paris, Le Seuil, collection « Points », 1972.
2. Paris, « Poésie-Gallimard », 1971.

couche à son tour sur le papier une phrase ou un vers, et il s'ensuit une curieuse et risquée osmose des inconscients livrés aux hasards de la « vitesse de plume ».

1. Expériences médiumniques

André Breton s'est expliqué en 1930 – en marge d'un exemplaire des *Champs magnétiques* – sur la manière dont le livre a été écrit. Il s'agissait, selon lui :

> « de pouvoir varier, d'un de ces chapitres à l'autre, la vitesse de la plume, de manière à obtenir des étincelles différentes. Car, s'il paraît prouvé que, dans cette sorte d'écriture automatique, il est tout à fait exceptionnel que la syntaxe perde ses droits (ce qui suffirait à réduire à rien les « mots en liberté » futuristes), il est indéniable que les dispositions prises pour aller très vite ou un peu plus lentement sont de nature à influencer le caractère de ce qui se dit. Il semble même que ce soit de toute gravité puisque l'adoption *a priori* d'un sujet n'est pas absolument incompatible avec une allure fortement accélérée de l'écriture habituelle (Saisons) tandis qu'on ne peut, sans ruiner de fond en comble ce sujet, continuer à appuyer indéfiniment sur la pédale. Peut-être ne fera-t-on jamais plus concrètement, plus dramatiquement saisir le passage du *sujet* à l'*objet*, qui est à l'origine de toute préoccupation artistique moderne. »
>
> (cité par Béhar et Carassou : *Le Surréalisme*, Paris, Le livre de poche, 1984, p. 173.)

La vitesse d'exécution sera en effet une préoccupation essentielle pour les artistes modernes – et une technique propice à l'émergence de l'inconscient, sans préméditation ni *a priori*. *Les Champs magnétiques* – cette « œuvre d'un seul auteur à deux têtes », pour reprendre une expression d'Henri Béhar et Michel Carassou – s'inscrit dans une perspective encore plus vaste puisqu'elle englobera bientôt l'expérience médiumnique. L'écriture surréaliste y gagnera toutes ses lettres de noblesse.

Le numéro de *Littérature* de novembre 1922 annonce « L'entrée des médiums » et rend compte de curieuses séances où des poètes comme René Crevel, Robert Desnos et Benjamin Péret se soumettent à des expériences de sommeil provoqué. Ces séances deviennent quotidiennes et Desnos est celui qui fait preuve des dons les plus exceptionnels pour commposer, en état d'hypnose, des poèmes que notent ceux qui l'entourent. Breton le raconte en 1928 au début de *Nadja* :

> « Je revois maintenant Robert Desnos à l'époque que ceux d'entre nous qui l'ont connue appellent l'*époque des sommeils*. Il "dort", mais il écrit, il parle. C'est le soir, chez moi, dans l'atelier, au-dessus du cabaret du Ciel. Dehors, on crie : « On entre, on entre, au Chat Noir ! » Et Desnos continue à voir ce que je ne vois pas, ce que je ne vois qu'au fur et à mesure qu'il me le montre. Pour cela souvent il emprunte la personnalité de l'homme vivant le plus rare, le plus infixable, le plus décevant, l'auteur du *Cimetière des Uniformes et Livrées*, Marcel Duchamp qu'il n'a jamais vu dans la réalité. Ce qui passait de Duchamp pour le plus inimitable à travers quelques mystérieux "jeux de mots" (Rrose Sélavy) se retrouve chez Desnos dans toute sa pureté et prend soudain une extraordinaire ampleur. Qui n'a pas vu son crayon poser sur le papier, sans la moindre hésitation et avec une rapidité prodigieuse, ces étonnantes équations poétiques, et n'a pu s'assurer comme moi qu'elles ne pouvaient avoir été préparées de plus longue main, même s'il est capable d'apprécier leur perfection technique et de juger du merveilleux coup d'aile, ne peut se faire une idée de tout ce que cela engageait alors, de la valeur absolue d'oracle que cela prenait. Il faudrait que l'un de ceux qui ont assisté à ces séances innombrables prît la peine de les décrire avec précision, de les situer dans leur véritable atmosphère. Mais l'heure n'est pas venue où l'on pourra les évoquer sans passion. De tant de rendez-vous que, les yeux fermés Desnos m'a donnés pour plus tard avec lui, avec quelqu'un d'autre ou avec moi-même, il n'en est pas un que je me sente encore le courage de manquer, pas un seul, au lieu et à l'heure les plus invraisemblables, où je ne sois sûr de trouver qui il m'a dit. »
>
> (*Nadja*, Paris, Gallimard, 1928, repris en « Folio », 1975).

Mais ce « merveilleux coup d'aile » auquel Desnos convie ses amis n'aura qu'un temps. Les paroles qu'il profère dans un état hypnotique, à mi-chemin de l'état de veille et du sommeil, sont des merveilles, et les jeux de mots qui lui sont communiqués par Marcel Duchamp relèvent de la télépathie. Mais si Aragon qualifie Desnos de « dormeur formidable », Tzara le vilipende et crie à la supercherie. Il faut reconnaître qu'André Breton lui-même prendra bientôt ses distances avec l'écriture automatique, même si celle-ci emprunte beaucoup à certaine mythologie freudienne qu'il affectionne.

Le « dormeur » est allongé sur un canapé, et il se livre à de libres associations d'idées ou de mots ; c'est d'ailleurs à ces libres associaitons qu'étaient invités les soldats traumatisés par le baptême du feu qui se retrouvaient dans le service psychiatrique de la IIe Armée de Saint-Dizier où Breton avait été affecté en 1916. Breton était alors l'assistant du docteur Raoul Leroy et il put s'adonner à ce genre de thérapie dont l'ombre plane assurément lors des séances de sommeils hypnotiques.

Il n'empêche que, dans *Point du jour*, Breton considérera d'un œil critique les expériences d'écriture automatique, les illusions qu'elles ont suscitées et les désillusions auxquelles elles ont conduit : « L'histoire de l'écriture automatique dans le surréalisme, écrit-il, serait, je ne crains pas de le dire, celle d'une infortune continue[1]. » Certes, Breton a longtemps « compté sur le débit torrentiel de l'écriture automatique pour le nettoyage définitif de l'écurie littéraire[2] », et il ne renie pas cet enthousiasme ravageur et régénérateur. Mais Breton se reproche de ne pas avoir suffisamment discerné « les obstacles qui concourent, dans la majorité des cas, à détourner la coulée verbale de sa direction primitive[3]. » Breton semble là condamner des dérives totalement inconscientes sans ce ressaisissement du conscient qui deviendra pour lui primordial.

Et Breton de s'en prendre à ceux qui ont dénaturé l'écriture automatique, qui l'ont utilisée sans discernement au point de la rendre inefficace ou caricaturale :

> « Beaucoup, en effet, n'ont voulu y voir qu'une nouvelle science littéraire des effets, qu'ils n'ont eu rien de plus pressé que d'adapter aux besoins de leur petite industrie. Je crois pouvoir dire que l'afflux automatique, avec lequel ils s'étaient flattés d'en prendre à leur aise, n'a pas tardé à les abandonner complètement. D'autres se sont satisfaits spontanément d'une demi-mesure qui consiste à favoriser l'irruption du langage automatique au sein de développements plus ou moins conscients. Enfin, il faut constater que d'assez nombreux pastiches de textes automatiques ont été mis récemment en circulation, textes qu'il n'est pas toujours aisé de distinguer à première vue des textes authentiques, en raison de l'absence objective de tout critérium d'origine. Ces quelques obscurités, ces défaillances, ces piétinements, ces efforts de simulation me paraissent nécessiter plus impérieusement que jamais, dans l'intérêt de l'action que nous voulons mener, un complet retour aux principes. »
>
> (*Point du jour*, Paris, Idées, Gallimard, 1934).

1. Paris, Gallimard, 1934.
2. *Ibid.*
3. *Ibid.*

2. Le Manifeste de 1924

Il est vrai que ce « retour aux principes » restera dans une belle nébuleuse et que les valeurs essentielles prônées par Breton dans le premier *Manifeste du surréalisme,* en 1924, ne feront pas l'objet de grandes modifications – tout au plus de légers aménagements.

L'année 1924 est importante. Breton liquide la revue *Littérature* pour en créer une autre qui se veut « la plus scandaleuse du monde » La *Révolution surréaliste.* Et c'est à une révolution des esprits et des moyens d'écriture que convie le premier manifeste. Désormais le surréalisme a sa charte et sa tribune, et son chef – d'aucuns diront plus tard son « pape » – est entouré d'adeptes comme Aragon, Éluard, Péret, Crevel, Desnos et même Artaud.

Imagination et folie

Quelles sont les lignes de force du *Manifeste* de 1924 ?

– D'abord un hymne vibrant à l'imagination, fût-elle la plus folle (« Il fallut que Colomb partît avec des fous pour découvrir l'Amérique. Et voyez comme cette folie a pris corps, et durée ») ainsi qu'à la liberté :

> « Le seul mot de liberté est tout ce qui m'exalte encore. Je le crois propre à entretenir, indéfiniment, le vieux fanatisme humain. Il répond sans doute à ma seule aspiration légitime. Parmi tant de disgrâces dont nous héritons, il faut bien reconnaître que la *plus grande liberté* d'esprit nous est laissée. A nous de ne pas en mésuser gravement. Réduire l'imagination à l'esclavage, quand bien même il y irait de ce qu'on appelle grossièrement le bonheur, c'est se dérober à tout ce qu'on trouve, au fond de soi, de justice suprême. La seule imagination me rend compte de ce qui peut être, et c'est assez pour lever un peu le terrible interdit ; assez aussi pour que je m'abandonne à elle sans crainte de me tromper (comme si l'on pouvait se tromper davantage). Où commence-t-elle à devenir mauvaise et où s'arrête la sécurité de l'esprit ? Pour l'esprit, la possibilité d'errer n'est-elle pas plutôt la contingence du bien[1] ? »

1. André Breton, *Manifestes du Surréalisme*, Paris, Gallimard, « Idées », 1972, (© J.J. Pauvert).

On le voit : il s'agit de ne pas « mésuser gravement » de la liberté et d'en faire un moteur de la disponibilité d'esprit qui sera une revendication essentielle des surréalistes, comme le proclameront les débuts de *Nadja* et de *L'Amour fou*. Cette liberté, poussée à l'excès, peut conduire du côté de « la folie qu'on enferme », mais Breton ne condamne guère cette folie :

> « Chacun sait, en effet, que les fous ne doivent leur internement qu'à un petit nombre d'actes légalement répréhensibles, et que, faute de ces actes, leur liberté (ce qu'on voit de leur liberté) ne saurait être en jeu. Qu'ils soient, dans une mesure quelconque, victimes de leur imagination, je suis prêt à l'accorder, en ce sens qu'elles les pousse à l'inobservance de certaines règles, hors desquelles le genre se sent visé, ce que tout homme est payé pour savoir. Mais le profond détachement dont ils témoignent à l'égard de la critique que nous portons sur eux, voire des corrections diverses qui leur sont infligées, permet de supposer qu'ils puisent un grand réconfort dans leur imagination, qu'ils goûtent assez leur délire pour supporter qu'il ne soit valable que pour eux. Et, de fait, les hallucinations, les illusions, etc., ne sont pas une source de jouissance négligeable[1]. »

Breton va jusqu'à affirmer :

> « Les confidences des fous, je passerais ma vie à les provoquer. Ce sont gens d'une honnêteté scrupuleuse, et dont l'innocence n'a d'égale que la mienne[2]. »

De fait, Breton, en faisant la connaissance de Nadja, sera en présence d'un être qui lui ouvre des territoires poétiques inattendus par ses dons de prémonition et par une provocation continue. Quand Nadja se trouve internée, Breton se sépare d'elle ; il fulmine contre les asiles mais n'entreprend rien pour libérer celle qui l'a requis et inspiré. Une des dernières pages de *Nadja* révèle les limites de la position de Breton à l'égard des principes de « subversion totale » :

> « Il ne m'avait pas été donné de dégager jusqu'à ce jour tout ce qui, dans l'attitude de Nadja à mon égard, relève de l'application d'un principe de subversion totale, plus ou moins conscient, dont je ne retiendrai pour exemple que ce fait : un soir que je conduisais une automobile sur la route de Versailles à Paris, une femme à mon côté qui était Nadja, mais qui eût pu, n'est-ce pas, être toute autre, et même *telle autre*, son pied maintenant le mien pressé sur l'accélérateur, ses mains cherchant à se poser

1. *Ibid.*
2. *Ibid.*

sur mes yeux, dans l'oubli que procure un baiser sans fin, voulait que nous n'existassions plus, sans doute à tout jamais, que l'un pour l'autre, qu'ainsi à toute allure nous nous portassions à la rencontre des beaux arbres. Quelle épreuve pour l'amour, en effet. Inutile d'ajouter que je n'accédai pas à ce désir. On sait où j'en étais alors, où, à ma connaissance, j'en ai presque toujours été avec Nadja. Je ne lui sais pas moins gré de m'avoir révélé, de façon terriblement saisissante, à quoi une reconnaissance commune de l'amour nous eût engagés à ce moment. Je me sens de moins en moins capable de résister à pareille tentation dans tous les cas. Je ne puis moins faire qu'en rendre grâces, dans ce dernier souvenir, à celle qui m'en a fait comprendre presque la nécessité. C'est à une puissance extrême de défi que certains êtres très rares qui peuvent les uns des autres tout attendre et tout craindre se reconnaîtront toujours. Idéalement au moins je me retrouve souvent, les yeux bandés, au volant de cette voiture sauvage. Mes amis, de même qu'ils sont ceux chez lesquels je suis sûr de trouver refuge quand ma tête vaudrait son pesant d'or, et qu'ils courraient un risque immense à me cacher, – ils me sont redevables seulement de cet espoir tragique que je mets en eux, – de même, en matière d'amour, il ne saurait être question pour moi que, dans toutes les conditions requises, de reprendre cette promenade nocturne[1]. »

Contre le réalisme

Le premier Manifeste du surréalisme s'engage ensuite dans une dénonciation de l'attitude réaliste et de ce souci qu'ont certains écrivains d'une « clarté confinant à la sottise ». Breton dénonce du même pas le genre romanesque si friand des marquises qui sortent à cinq heures ! Breton n'aura d'ailleurs de cesse de s'attaquer aux romanciers et à leur inévitable penchant à la description gratuite. Il cite une page de *Crime et châtiment* où Dostoievski fait la description très objective d'une chambre, et il s'insurge : « Je veux qu'on se taise quand on cesse de ressentir ». Dans *Nadja*, Breton condamnera cet enfantillage qui consiste pour le romancier à faire de deux personnages réels un seul personnage fictif ou vice-versa, à transformer un modèle brun qui pourrait être trop facilement reconnu en une héroïne aux cheveux blonds ! Breton vitupère :

« Je ne trouve pas cela enfantin, je trouve cela scandaleux.

1. *Nadja*, Paris, Gallimard (1928), repris en « Folio », 1975.

Je persiste à réclamer les noms, à ne m'intéresser qu'aux livres qu'on laisse battants comme des portes, et desquels on n'a pas à chercher la clé[1]. »

Et l'auteur de *Nadja* de conclure :

« Fort heureusement, les jours de la littérature psychologique à affabulation romanesque sont comptés[2]. »

Conclusion un peu hâtive, puisque le roman psychologique connaît encore de beaux jours et que, dans les rangs mêmes du surréalisme, plusieurs adeptes franchiront la barrière défendue de l'expression romanesque, ne serait-ce que Louis Aragon et Philippe Soupault. Il n'empêche que le dénigrement du roman est un mot d'ordre surréaliste. Breton ne tolère que des proses où le narrateur jour la carte de la transparence, livre le journal de ses rencontres, explore l'univers de ses désirs et de ses rêves – une prose poétique qui répudie la psychologie pour s'apparenter à une sorte d'auto-analyse.

Ennemi du réalisme et du rationalisme, André Breton en vient tout naturellement, dans la foulée des expériences récentes d'écriture automatique et de sommeil hypnotique, à se réclamer des découvertes freudiennes. L'œuvre de Freud commence à peine à être traduite en France, mais Breton en a capté maints échos que son *Manifeste* reprend en compte avec une belle clarté et un sens didactique certain :

« C'est par le plus grand hasard, en apparence, qu'a été récemment rendue à la lumière une partie du monde intellectuel, et à mon sens de beaucoup la plus importante, dont on affectait de ne plus se soucier. Il faut en rendre grâce aux découvertes de Freud. Sur la foi de ces découvertes, un courant d'opinion se dessine enfin, à la faveur duquel l'explorateur humain pourra pousser plus loin ses investigations, autorisé qu'il sera à ne plus seulement tenir compte des réalités sommaires. L'imagination est peut-être sur le point de reprendre ses droits.

Si les profondeurs de notre esprit recèlent d'étranges forces capables d'augmenter celles de la surface, ou de lutter victorieusement contre elles, il y a tout intérêt à les capter, à les capter d'abord, pour les soumettre ensuite, s'il y a lieu, au contrôle de notre raison. Les analystes eux-mêmes n'ont qu'à y gagner. Mais il importe d'observer qu'aucun moyen n'est désigné *a priori* pour la conduite de cette entreprise, que jusqu'à nouvel ordre elle

1. André Breton, *op. cit.*
2. *Op. cit.*

peut passer pour être aussi bien du ressort des poètes que des savants et que son succès ne dépend pas des voies plus ou moins capricieuses qui seront suivies[1]. »

Breton ne veut donc pas laisser les découvertes freudiennes à la disposition des seuls « savants ». Il estime que les poètes doivent être les artisans d'une exploration en deux temps : capter d'abord les forces de l'inconscient, les soumettre ensuite, si besoin est, au contrôle de la raison – ce qui est déjà là une façon de désigner les limites de l'écriture purement automatique.

L'exploration du rêve

Le lieu où l'inconscient peut le mieux être capté est incontestablement le rêve :

> « C'est à très juste titre que Freud a fait porter sa critique sur le rêve. Il est inadmissible, en effet, que cette part considérable de l'activité psychique (puisque, au moins de la naissance de l'homme à sa mort, la pensée ne présente aucune solution de continuité, la somme des moments de rêve, au point de vue temps, à ne considérer même que le rêve pur, celui du sommeil, n'est pas inférieure à la somme des moments de réalité, bornons-nous à dire : des moments de veille) ait encore si peu retenu l'attention. L'extrême différence d'importance, de gravité, que présentent pour l'observateur ordinaire les événements de la veille et ceux du sommeil, a toujours été pour m'étonner. C'est que l'homme, quand il cesse de dormir, est avant tout le jouet de sa mémoire, et qu'à l'état normal celle-ci se plaît à lui retracer faiblement les circonstances du rêve, à priver ce dernier de toute conséquence actuelle, et à faire partir le seul *déterminant* du point où il croit, quelques heures plus tôt, l'avoir laissé : cet espoir ferme, ce souci. Il a l'illusion de continuer quelque chose qui en vaut la peine. Le rêve se trouve ainsi ramené à une parenthèse, comme la nuit[2]. »

Breton raconte qu'au moment de s'endormir, le poète Saint-Pol-Roux plaçait sur la porte de son manoir breton un écriteau où l'on pouvait lire : « Le poète travaille ».

Oui, le rêve est bien un travail. Et Breton de distinguer les quatre richesses que recèlent, dans une perspective freudienne, les rêves :

---

1. André Breton, *Manifestes du surréalisme,* Paris, Gallimard, 1972, (© J.J. Pauvert).
2. *Ibid.*

– D'abord, le rêve est « continu et porte trace d'organisation ». Freud a montré qu'il obéissait à des mécanismes conjoints de condensation et de déplacement et qu'il méritait donc une lecture souple et attentive. Le rêve peut ainsi nous renseigner sur notre propre vie. Mais Breton se distingue des leçons freudiennes dans la mesure où il n'exclut guère le rêve de type prémonitoire. Freud refuse cette croyance ancienne et estime que le rêve ne peut nous éclairer que sur nos tendances profondes, non sur des situations ponctuelles.

– Breton prend ensuite en considération des moments où, à l'état de veille, l'homme se retrouve comme dans un rêve. C'est le cas lorsque l'homme fait des lapsus, se livre à des méprises, se trouve en proie à « une étrange tendance à la désorientation ». L'amour ne crée-t-il pas de tels états de trouble ? *Nadja* fera bientôt une classification de ces états de trouble quasi oniriques sous les dénominations de « faits-glissade » et de « faits-précipice ». Il en ressort en tout cas que le rêve n'est pas seulement un phénomène nocturne mais qu'il contamine toute la vie.

– Le rêve, qu'il s'exprime de façon diurne ou nocturne, a l'avantage de donner l'impression que tout est possible :

> « L'angoissante question de la possibilité ne se pose plus. Tue, vole plus vite, aime tant qu'il te plaira. Et si tu meurs, n'es-tu pas certain de te réveiller d'entre les morts ? Laisse-toi conduire, les événements ne souffrent pas que tu les diffères. Tu n'as pas de nom. La facilité de tout est inappréciable.
>
> Quelle raison, je le demande, raison tellement plus large que l'autre, confère au rêve cette allure naturelle, me fait accueillir sans réserves une foule d'épisodes dont l'étrangeté à l'heure où j'écris me foudroierait ? Et pourtant j'en puis croire mes yeux, mes oreilles ; ce beau jour est venu, cette bête a parlé.
>
> Si l'éveil de l'homme est plus dur, s'il rompt trop bien le charme, c'est qu'on l'a amené à se faire une pauvre idée de l'expiation[1]. »

Le problème, c'est que l'homme a souvent en lui la peur que « la bête » (c'est-à-dire l'instinct, le désir) parle, et qu'il est travaillé par l'idée crispante d'expiation. Une fois ces obstacles vaincus, l'homme pourra connaître le bonheur d'être libre et de chanter, comme dans *L'Amour fou*, le paradis du désir libéré.

– Breton en arrive enfin aux leçons qu'on peut tirer d'un

1. *Ibid.*

« examen méthodique » du rêve sous toutes ses formes – et il donne à son propos une portée universelle :

> « De l'instant où il sera soumis à un examen méthodique, où, par des moyens à déterminer, on parviendra à nous rendre compte du rêve dans son intégrité (et cela suppose une discipline de la mémoire qui porte sur des générations ; commençons tout de même par enregistrer les faits saillants), où sa courbe se développera avec une régularité et une ampleur sans pareilles, on peut espérer que les mystères qui n'en sont pas feront place au grand Mystère. Je crois à la résolution future de ces deux états, en apparence si contradictoires, que sont le rêve et la réalité, en une sorte de réalité absolue, de *surréalité*, si l'on peut ainsi dire[1]. »

Cette « surréalité » s'apparente au « merveilleux », mais Breton entend prôner un merveilleux en prise avec son époque (« Le merveilleux n'est pas le même à toutes les époques ») : ce sera le surréalisme. L'auteur reconnaît avoir longtemps hésité sur l'appellation qu'il convenait de donner à son mouvement. Le mot « supernaturalisme » lui plaisait dans la mesure où il avait été employé par Gérard de Nerval dans la dédicace des *Filles du Feu* : son sens était proche de celui de la fusion du rêve et de la réalité à laquelle aspire Breton, mais il avait le tort de comporter la racine « naturalisme » qui pouvait prêter à confusion depuis que Zola avait imposé un mouvement du même nom. Breton choisit donc finalement « surréalisme » que la plume d'Apollinaire a déjà forgé, même s'il n'a pas le même sens que chez Breton.

Ce sens, le premier *Manifeste* le donne en deux définitions dont l'une semble empruntée à un dictionnaire et l'autre à une encyclopédie. Les voici :

> « SURRÉALISME, n. m. Automatisme psychique pur, par lequel on se propose d'exprimer, soit verbalement, soit par écrit, soit de toute autre manière, le fonctionnement réel de la pensée. Dictée de la pensée, en l'absence de tout contrôle exercé par la raison, en dehors de toute préoccupation esthétique ou morale.
>
> **Encycl.** *Philos.* Le surréalisme repose sur la croyance à la réalité supérieure de certaines formes d'associations négligées jusqu'à lui, à la toute-puissance du rêve, au jeu désintéressé de la pensée. Il tend à ruiner définitivement tous les autres méca-

1. *Ibid.*

nismes psychiques et à se substituer à eux dans la résolution des principaux problèmes de la vie[1]. »

Pour que soit exprimé « le fonctionnement réel de la pensée », il convient de se débarrasser de tout « contrôle » rationnel, esthétique ou moral, et de se livrer à « la toute-puissance du rêve ». C'est là le point fort du livre, son centre névralgique.

Pratique de l'écriture automatique

Breton donne ensuite des exemples d'écriture surréaliste. Après la théorie, la pratique. Ce sont des phrases sorties de « modestes *appareils enregistreurs* qui ne s'hypnotisent pas sur le dessin qu'ils tracent », autrement dit de poètes qui se sont laissés aller à l'écriture automatique. Breton propose même les règles du « jeu surréaliste » (le jeu n'est-il pas par essence poétique dès lors qu'il permet de retrouver l'enfance à volonté ?) :

> « Faites-vous apporter de quoi écrire, après vous être établi en un lieu aussi favorable que possible à la concentration de votre esprit sur lui-même. Placez-vous dans l'état le plus passif, ou réceptif, que vous pourrez... Écrivez vite sans sujet préconçu, assez vite pour ne pas retenir et ne pas être tenté de vous relire. La première phrase viendra toute seule, tant il est vrai qu'à chaque seconde il est une phrase étrangère à notre pensée consciente qui ne demande qu'à s'extérioriser. Il est assez difficile de se prononcer sur le cas de la phrase suivante ; elle participe sans doute à la fois de notre activité consciente et de l'autre, si l'on admet que le fait d'avoir écrit la première entraîne un minimum de perception. Peu doit vous importer d'ailleurs ; c'est en cela que réside, pour la plus grande part, l'intérêt du jeu surréaliste[2]. »

André Breton semble revenir là sur les règles du jeu qui a présidé à l'écriture des *Champs magnétiques* et qui seront encore celles d'un ouvrage écrit cette fois à trois (Breton, Éluard et Char) en 1930, *Ralentir travaux*. Breton est d'ailleurs persuadé que c'est « au dialogue que les formes du langage surréaliste s'adaptent le mieux », étant cependant entendu que chaque interlocuteur « poursuit simplement un soliloque, sans chercher à en tirer un plaisir dialectique particulier et à en imposer le moins du monde à son voisin. »

1. *Ibid.*
2. *Ibid.*

3. L'image surréaliste

Après les méthodes de fabrication du poème surréaliste, Breton s'attache aux « effets mystérieux » qui peuvent émaner de lui, surtout par le biais des images.

> « Les types innombrables d'images surréalistes appelleraient une classification que, pour aujourd'hui, je ne me propose pas de tenter. Les grouper selon leurs affinités particulières m'entraînerait trop loin ; je veux tenir compte, essentiellement, de leur commune vertu. Pour moi, la plus forte est celle qui présente le degré d'arbitraire le plus élevé, je ne le cache pas ; celle qu'on met le plus longtemps à traduire en langage pratique, soit qu'elle recèle une dose énorme de contradiction apparente, soit que l'un de ses termes en soit curieusement dérobé, soit que s'annonçant sensationnelle, elle ait l'air de se dénouer faiblement (qu'elle ferme brusquement l'angle de son compas), soit qu'elle tire d'elle-même une justification *formelle* dérisoire, soit qu'elle soit d'ordre hallunicatoire, soit qu'elle prête très naturellement à l'abstrait, le masque du concret, ou inversement, soit qu'elle implique la négation de quelque propriété physique élémentaire, soit qu'elle déchaîne le rire[1]. »

Et Breton d'en donner dans l'ordre, quelques exemples :

> « *Le rubis du champagne*. Lautréamont.
>
> *Beau comme la loi de l'arrêt du développement de la poitrine chez les adultes dont la propension à la croissance n'est pas en rapport avec la quantité de molécules que leur organisme s'assimile*. Lautréamont.
>
> *Une église se dressait éclatante comme une cloche*. Philippe Soupault.
>
> *Dans le sommeil de Rose Sélavy, il y a un nain sorti d'un puits qui vient manger son pain la nuit*. Robert Desnos.
>
> *Sur le pont la rosée à tête de chatte se berçait*. André Breton.
>
> *Un peu à gauche, dans mon firmament deviné, j'aperçois – mais sans doute n'est-ce qu'une vapeur de sang et de meurtre – le brillant dépoli des perturbations de la liberté*. Louis Aragon.
>
> *Dans la forêt incendiée,*
> *Les lions étaient frais*. Roger Vitrac.
>
> *La couleur des bas d'une femme n'est pas forcément à l'image de ses yeux, ce qui a fait dire à un philosophe qu'il est*

1. *Ibid.*

inutile de nommer : "Les céphalopodes ont plus de raisons que les quadrupèdes de haïr le progrès." Max Morise[1]. »

Ces exemples ont quelque affinité avec « les papiers collés de Picasso et de Braque » – assemblage gratuit de titres découpés dans des journaux.

L'image selon Breton et selon Reverdy

En fait, la conception de l'image selon André Breton n'est pas sans faire référence à une célèbre définition donnée en 1916 par Reverdy dans sa revue *Nord-Sud.* Citons l'article que Pierre Reverdy a intitulé *L'Image* :

> « L'image est une création pure de l'esprit.
>
> Elle ne peut naître d'une comparaison mais du rapprochement de deux réalités plus ou moins éloignées.
>
> Plus les rapports des deux réalités rapprochées seront lointains et justes, plus l'image sera forte – plus elle aura de puissance émotive et de réalité poétique.
>
> Deux réalités qui n'ont aucun rapport ne peuvent se rapprocher utilement. Il n'y a pas création d'image.
>
> Deux réalités contraires ne se rapprochent pas. Elles s'opposent.
>
> On obtient rarement une force de cette opposition.
>
> Une image n'est pas forte parce qu'elle est *brutale* ou *fantastique* – mais parce que l'association des idées est lointaine et juste.
>
> Le résultat obtenu contrôle immédiatement la justesse de l'association.
>
> L'Analogie est un moyen de création – C'est une *ressemblance de rapports* ; or de la nature de ces rapports dépend la force ou la faiblesse de l'image créée.
>
> Ce qui est grand ce n'est pas l'image – mais l'émotion qu'elle provoque ; si cette dernière est grande on estimera l'image à sa mesure.
>
> L'émotion ainsi provoquée est pure, poétiquement, parce qu'elle est née en dehors de toute imitation, de toute évocation, de toute comparaison.
>
> Il y a la surprise et la joie de se trouver devant une chose neuve.

---

1. *Ibid.*

On ne crée pas d'image en comparant (toujours faiblement) deux réalités disproportionnées.

On crée, au contraire, une forte image, neuve pour l'esprit, en rapprochant sans comparaison deux réalités distantes dont l'esprit seul a saisi les rapports.

L'esprit doit saisir et goûter sans mélange une image créée[1]. »

Lorsque Breton reprend, dans son premier *Manifeste*, la définition de Reverdy, il le fait en inversant la cause et l'effet et en refusant tout caractère de préméditation dans la confection des images. Pour Breton :

« il ne semble pas possible de rapprocher volontairement ce que Reverdy appelle "deux réalités distantes". Le rapprochement se fait ou ne se fait pas, voilà tout. Je nie, pour ma part, de la façon la plus formelle, que chez Reverdy des images telles que :

Dans le ruisseau il y a une chanson qui coule.

ou :

Le jour s'est déplié comme une nappe blanche.

ou :

Le monde rentre dans un sac

offrent le moindre degré de préméditation. Il est faux, selon moi, de prétendre que" l'esprit a saisi les rapports" des deux réalités en présence. Il n'a, pour commencer, rien saisi consciemment. C'est du rapprochement en quelque sorte fortuit des deux termes qu'a jailli une lumière particulière, *lumière de l'image*, à laquelle nous nous montrons infiniment sensibles. La valeur de l'image dépend de la beauté de l'étincelle obtenue, elle est, par conséquent, fonction de la différence de potentiel entre les deux conducteurs. Lorsque cette différence existe à peine comme dans la comparaison, l'étincelle ne se produit pas. Or, il n'est pas, à mon sens, au pouvoir de l'homme de concerter le rapprochement de deux réalités si distantes. Le principe d'association des idées, tel qu'il nous apparaît, s'y oppose. Ou bien faudrait-il en revenir à un art elliptique, que Reverdy condamne comme moi. Force est donc bien d'admettre que les deux termes de l'image ne sont pas déduits l'un de l'autre par l'esprit *en vue* de l'étincelle à produire, qu'ils sont les produits simultanés de l'activité que j'appelle surréaliste, la raison se bornant à constater, et à apprécier le phénomène lumineux[2]. »

---

1. Pierre Reverdy, *Nord-Sud*, Paris, Flammarion, 1979, pp. 73-75.
2. André Breton, *Manifestes du surréalisme*, Paris, Gallimard, "Idées", 1972, (© J.J. Pauvert).

Le « stupéfiant-image » (Aragon)

Aragon va au-delà de l'image conçue comme un courant électrique ; il lui assigne la fonction de « réviser tout l'Univers », pour le déstabiliser et créer les conditions d'une révolution sociale. C'est ce qui se dégage de ce passage du *Paysan de Paris* où l'auteur parle du « stupéfiant *Image* » :

> « Le vice appelé *Surréalisme* est l'emploi déréglé et passionnel du stupéfiant *image*, ou plutôt de la provocation sans contrôle de l'image pour elle-même et pour ce qu'elle entraîne dans le domaine de la représentation de perturbations imprévisibles et de métamorphoses : car chaque image à chaque coup vous force à réviser tout l'Univers. Et il y a pour chaque homme une image à trouver qui anéantit tout l'Univers. Vous qui entrevoyez les lueurs orange de ce gouffre, hâtez-vous, approchez vos lèvres de cette coupe fraîche et brûlante. Bientôt, demain, l'obscur désir de sécurité qui unit entre eux les hommes leur dictera des lois sauvages, prohibitrices. Les propagateurs de surréalisme seront roués et pendus, les buveurs d'images seront enfermés dans des chambres de miroirs. Alors les surréalistes persécutés trafiqueront à l'abri de cafés chantants leurs contagions d'images[1]. »

Et Aragon de jubiler :

> « Une grande indignation saisira les personnes honnêtes contre cette activité indéfendable, cette anarchie épidémique qui tend à arracher chacun au sort commun pour lui créer un paradis individuel, ce détournement des pensées qu'on ne tardera pas à nommer le malthusianisme intellectuel. Ravages splendides : le principe d'utilité deviendra étranger à tous ceux qui pratiqueront ce vice supérieur. L'esprit enfin pour eux cessera d'être appliqué. Ils verront reculer ses limites, ils feront partager cet enivrement à tout ce que la terre compte d'ardent et d'insatisfait[2]. »

4. Émancipation, subversion du langage

La révolution surréaliste

C'est, en tout cas, bien sur le langage que le surréalisme se

---

1. Louis Aragon, *Le Paysan de Paris*, Paris, Gallimard, 1926.
2. *Op. cit.*

sera essentiellement proposé de travailler, ainsi que Breton tiendra à le rappeler en 1953 dans *Du surréalisme en ses œuvres vives* :

> « Il est aujourd'hui de notoriété courante que le surréalisme, en tant que mouvement organisé, a pris naissance dans une opération de grande envergure portant sur le langage. A ce sujet on ne saurait trop répéter que les produits de l'automatisme verbal ou graphique qu'il a commencé par mettre en avant, dans l'esprit de leurs auteurs ne relevaient aucunement du critère esthétique. Dès que la vanité de certains de ceux-ci eut permis à un tel critère de trouver prise – ce qui ne tarda guère – l'opération était faussée et, pour comble, "l'état de grâce" qui l'avait rendue possible était perdu.
>
> De quoi s'agissait-il donc ? De rien moins que de retrouver le secret d'un langage dont les éléments cessassent de se comporter en épaves à la surface d'une mer morte. Il importait pour cela de se soustraire à leur usage de plus en plus strictement utilitaire, ce qui était le seul moyen de les émanciper et de leur rendre tout leur pouvoir. Ce besoin de réagir de façon draconienne contre la dépréciation du langage, qui s'est affirmé ici avec Lautréamont, Rimbaud, Mallarmé – en même temps qu'en Angleterre avec Lewis Carroll – n'a pas laissé de se manifester impérieusement depuis lors[1]. »

Dans son *Introduction au discours sur le peu de réalité* qui est contemporain du premier *Manifeste du surréalisme*, André Breton ne se proposait pas de modifier les mots, comme le prônaient les futuristes italiens ou russes, mais seulement de régler librement leur « assemblage », quitte à brouiller leur ordre et s'attaquer de la sorte à « l'existence toute apparente des choses » :

> « Rien ne sert de les modifier puisque, tels qu'il sont, ils répondent avec cette promptitude à notre appel. Il suffit que notre critique porte sur les lois qui président à leur assemblage. La médiocrité de notre univers ne dépend-elle pas essentiellement de notre pouvoir d'énonciation ? La poésie, dans ses plus mortes saisons, nous en a souvent fourni la preuve : quelle débauche de ciels étoilés, de pierres précieuses, de feuilles mortes. Dieu merci, une réaction lente mais sûre a fini par s'opérer à ce sujet dans les esprits. Le dit et le redit rencontrent aujourd'hui une solide barrière. Ce sont eux qui nous rivaient à cet univers commun. C'est en eux que nous avions pris ce goût de l'argent, ces craintes limitantes, ce sentiment de la "patrie", cette horreur de notre destinée. Je crois qu'il n'est pas trop tard

1. In *Manifestes du surréalisme*, Paris, Gallimard, 1972 (© J.J. Pauvert), pp. 179 et sq.

pour revenir sur cette déception, inhérente aux mots dont nous avons fait jusqu'ici mauvais usage. Qu'est-ce qui me retient de brouiller l'ordre des mots, d'attenter de cette manière à l'existence toute apparente des choses ! Le langage peut et doit être arraché à son servage. Plus de descriptions d'après nature, plus d'études de mœurs. Silence, afin qu'où nul n'a jamais passé je passe, silence ! – Après toi, mon beau langage[1]. »

Pour arracher le langage à son servage, Breton ne sera pas sans subir certaine fascination pour le modèle roussellien. Raymond Roussel a révélé dans *Comment j'ai écrit certains de mes livres* un « procédé très spécial » de création qui privilégie des rapports ludiques entre les mots :

« Ce procédé, il me semble qu'il est de mon devoir de le révéler, car j'ai l'impression que des écrivains de l'avenir pourraient peut-être l'exploiter avec fruit.

Très jeune j'écrivais déjà des contes de quelques pages en employant ce procédé.

Je choisissais deux mots presque semblables (faisant penser aux métagrammes). Par exemple *billard* et *pillard*. Puis j'y ajoutais des mots pareils mais pris dans deux sens différents, et j'obtenais ainsi deux phrases presque identiques.

En ce qui concerne *billard* et *pillard* les deux phrases que j'obtins furent celles-ci :

1° *Les lettres du blanc sur les bandes du vieux billard.*

2° *Les lettres du blanc sur les bandes du vieux pillard.*

Dans la premières, "lettres" était pris dans le sens de "signes typographiques", "blanc" dans le sens de "cube de craie" et "bandes" dans le sens de "bordures".

Dans la seconde, "lettres" était pris dans le sens de "missives", "blanc" dans le sens d'"homme-blanc" et "bandes" dans le sens de "hordes guerrières".

Les deux phrases trouvées, il s'agissait d'écrire un conte pouvant commencer par la première et finir par la seconde.

Or c'était dans la résolution de ce problème que je puisais tous mes matériaux.

Dans le conte en question il y avait un *blanc* (un explorateur) qui, sous ce titre "Parmi les noirs", avait publié sous forme de *lettres* (missives) un livre où il était parlé des *bandes* (hordes) d'un pillard (roi nègre).

Au début on voyait quelqu'un écrire avec un blanc (cube de craie) des lettres (signes typographiques) sur les bandes (bordures) d'un billard. Ces lettres, sous une forme cryptographique, composaient la phrase finale : "Les lettres du blanc sur les

1. André Breton, *Point du jour*, Gallimard, 1934, pp. 22-23.

bandes du vieux pillard", et le conte tout entier reposait sur une histoire de rébus basée sur les récits épistolaires de l'explorateur[1]. »

Il est vrai que les surréalistes, et spécialement André Breton, ne modèleront pas leur écriture sur des procédés aussi systématiques, et qu'ils préféreront obéir à leur inspiration. Cette dernière ne connaît pas la vague désacralisatrice dont le surréalisme est issu. Dans le deuxième *Manifeste du surréalisme* (1930), Breton prend d'ailleurs vigoureusement sa défense :

> « On sait assez ce qu'est l'inspiration. Il n'y a pas à s'y méprendre ; c'est elle qui a pourvu aux besoins suprêmes d'expression en tout temps et en tous lieux. On dit communément qu'elle y est ou qu'elle n'y est pas et, si elle n'y est pas, rien de ce que suggèrent auprès d'elle l'habileté humaine qu'oblitère l'intérêt, l'intelligence discursive et le talent qui s'acquiert par le travail, ne peut nous guérir de son absence. Nous la reconnaissons sans peine à cette prise de possession totale de notre esprit qui, de loin en loin, empêche que pour tout problème posé nous soyons le jouet d'une solution rationnelle plutôt que d'une autre solution rationnelle, à cette sorte de court-circuit qu'elle provoque entre une idée donnée et sa répondante (écrite par exemple). Tout comme dans le monde physique, le court-circuit se produit quand les deux "pôles" de la machine se trouvent réunis par un conducteur de résistance nulle ou trop faible. En poésie, en peinture, le surréalisme a fait l'impossible pour multiplier ces courts-circuits[2]. »

Le court-circuit majeur réside dans la métaphore – une métaphore que le critique américain Michaël Riffaterre (in *La Production du texte*) qualifiera de « filée » et à laquelle le poète belge Paul Nougé s'était dès 1933 intéressé tant elle lui paraissait le pivot essentiel du surréalisme. Paul Nougé écrit :

> « Transformer le monde à la mesure de nos désirs suppose cette croyance que les hommes, dans leur ensemble, sont animés à des degrés divers du même besoin profond d'échapper à l'ordre établi. La validité de l'entreprise est liée à l'existence d'un tel désir.
>
> Il est donc capital de le déceler dans sa totale extension et c'est ainsi que Magritte observera qu'une certaine figure de langage en pourrait témoigner, la métaphore, à condition de la

1. In *Œuvres complètes*, Paris, Pauvert, 1963-1965.
2. André Breton, *Manifestes du Surréalisme*, Paris, Gallimard, 1972 (© J.J. Pauvert).

prendre d'une manière qui n'est pas l'habituelle.

La métaphore ne relèverait pas d'une difficulté à nommer l'objet, comme le pensent certains, ni d'un glissement analogique de la pensée. C'est au pied de la lettre qu'il conviendrait de la saisir, comme un souhait de l'esprit que ce qu'il exprime existe en toute réalité, et plus loin, comme la croyance, dans l'instant qu'il l'exprime, à cette réalité. Ainsi des mains d'ivoire, des yeux de jais, des lèvres de corail.

Mais il n'est guère de sentiment qui ne se double à quelque degré d'un sentiment contraire ; le désir qu'il en soit ainsi se trouve aussitôt miné, chez le commun des hommes, par la peur, – la peur des conséquences. La métaphore, on ne consentira plus à y voir qu'un artifice de langage, une manière de s'exprimer plus ou moins précise, mais sans retentissement sur l'esprit qui en use ni sur le monde auquel elle s'adresse.

C'est ainsi que l'on peut en venir à souhaiter *une métaphore qui dure*, une métaphore qui enlève à la pensée ses possibilités de retour ? A quoi tend la seule poésie que nous reconnaissons pour valable. Et la peinture, qui confère au signe l'évidence concrète de la chose signifiée, évidence à laquelle on n'échappe plus[1]. »

La métaphore est donc chargée de vastes pouvoirs exorcisants. Elle s'apparente au « transfert » psychanalytique, comme Tristan Tzara le suggérera dans *Grains et issues*.

La métaphore trouve à s'exprimer dans un domaine qu'André Breton privilégiera : l'humour noir (il est l'auteur d'une célèbre *Anthologie de l'humour noir*), qu'il qualifie de « révolte supérieure de l'esprit » et qu'il n'est pas arbitraire de mettre en parallèle avec *Le mot d'esprit et ses rapports avec l'inconscient* de Freud.

Grâce à cette activité multiforme, le surréalisme a pu acquérir une influence énorme qui dépasse le cadre poétique pour toucher la peinture (Breton a publié une étude *Le surréalisme et la peinture*).

Le Surréalisme au service de la révolution

Pour accompagner et soutenir son mouvement, André Breton

1. Paul Nougé, « Les Images défendues », in *Le surréalisme au service de la Révolution*, n° 6, 1933.

a toujours eu souci de diriger des revues, et leurs titres sont significatifs. A l'époque du *Premier Manifeste*, en 1924, sa revue s'intitule *La Révolution surréaliste* – ce qui signifie que, pour lui, la révolution est essentiellement esthétique. Il s'agit seulement de subvertir le langage, moyen idéal de désaliéner l'homme, de lui ouvrir les portes de la liberté (dans *Nadja*, Breton affirme, on le sait, son goût pour les livres « battants comme des portes »). Mais, en 1930, au moment de la publication du *Deuxième Manifeste*, Breton transforme le titre de sa revue, qui devient *Le Surréalisme au service de la révolution*. Il est dès lors clair que la révolution n'est plus seulement esthétique mais qu'elle se trouve investie d'une finalité sociale.

Breton a raconté dans *Nadja* le choc que lui causa la lecture du *Lénine* de Léon Trotsky. En 1926, Breton, Aragon, Éluard et Péret décidèrent d'adhérer au parti communiste français. Mais pour Breton il s'agissait d'un essai voué d'avance à l'insuccès et non d'un véritable « engagement ». Dans *Comète surréaliste*, André Breton écrira d'ailleurs :

> « L'ignoble mot d'engagement [...] sue une servilité dont la poésie et l'art ont horreur[1]. »

Breton veut préserver l'indépendance de l'art, si tenté qu'il soit de hâter des changement sociaux. Dans le *Deuxième Manifeste* de 1930, il ne croit, de toute façon, pas « à la possibilité d'existence actuelle d'une littérature ou d'un art exprimant les aspirations de la classe ouvrière[2]. »

C'est que, écrit-il : « aussi faux que toute entreprise d'explication sociale autre que celle de Marx est pour moi tout essai de défense et d'illustration d'une littérature et d'un art dits "prolétariens", à une époque où nul ne saurait se réclamer de la culture prolétarienne, pour l'excellente raison que cette culture n'a pu encore être réalisée, même en régime prolétarien[3]. »

Il va sans dire que la « révolution » à laquelle rêve Breton ne saurait s'apparenter au modèle soviétique. L'auteur de *L'Amour fou* se sent plutôt des affinités avec le « dissident » Léon Trotsky en compagnie duquel il rédige en 1938 le manifeste « Pour un art révolutionnaire indépendant » (« indépendant » des thèses de

---

1. André Breton, *La Clé des champs*, Paris, 10/18, 1973.
2. André Breton, *Manifestes du surréalisme*, Paris, Gallimard, 1972, (© J.J. Pauvert).
3. *Ibidem*.

Moscou, s'entend). Les deux auteurs proclament qu'« en matière de création artistique, il importe essentiellement que l'imagination échappe à toute contrainte, ne se laisse sous aucun prétexte imposer de filière[1]. »

Mais le mouvement surréaliste connaîtra des dissensions à propos de l'engagement politique et des contraintes qu'il implique. L'« affaire *Front Rouge* » fut en 1931 un révélateur. Aragon, pour bien marquer son ralliement à la ligne de l'Internationale communiste, avait publié un poème « révolutionnaire », *Front rouge*, où il appelait à l'assassinat des dirigeants du régime.

Quand Aragon fut poursuivi en justice, les surréalistes firent corps derrière lui et s'élevèrent « contre toute tentative d'interprétation d'un texte à des fins judiciaires ». C'était mettre la poésie au-dessus de la loi et refuser que l'écrivain assumât la responsabilité de ses écrits. Un débat s'ensuivit, qui montra bien l'ambiguïté de la position d'André Breton soucieux de distinguer la prose de la poésie, domaine inattaquable puisque « la façon de penser » y serait « inséparable de la façon de sentir[2]. » Dès 1933, Breton mettra fin à la publication du *Surréalisme au service de la révolution* et lui substituera une revue plus esthétisante, *Minotaure*. C'est que le mot « révolution » est alors devenu embarrassant pour Breton dont la ligne politique (anti-fasciste, cela va sans dire) manque d'ossature et ne se réfère à aucun modèle.

En regard, Aragon et Éluard, demeurés fidèles, jusqu'à leur mort respective, au P.C.F., bénéficieront d'une position apparemment plus confortable et de certitudes mieux assises (même si le Aragon du *Roman inachevé* – un des recueils majeurs du XXe siècle – se livre, en 1956, à l'autocritique de son adhésion par trop angélique au stalinisme).

Le problème de l'engagement se posera à maints poètes au cours de ce siècle, sans jamais être vraiment résolu. Certains créateurs répudieront leurs « poèmes de circonstance » au moment où ils donneront une version revue et corrigée de leurs œuvres complètes ; c'est le cas d'un Pierre Jean Jouve. D'autres affirmeront, en revanche, que tout poème est « de circonstance ».

---

1. André Breton, *La clé des champs*, Paris, 10/18, 1973.
2. André Breton, *Misère de la poésie. « L'affaire Aragon » devant l'opinion publique*, Paris, Éditions surréalistes, 1932.

Le surréalisme n'aura pas contribué à donner une réponse claire au problème de l'engagement. Il en aura plutôt multiplié les ambiguïtés et les contradictions. A son retour des États-Unis, à la fin de la Seconde Guerre mondiale, André Breton a incontestablement perdu de son aura. Tristan Tzara a dès lors beau jeu de lui régler ses comptes lors d'une tumultueuse conférence prononcée en 1947, *Le Surréalisme et l'après-guerre*[1], où il stigmatise l'attitude inconséquente de Breton pendant la guerre.

D'aucuns prendront le relais pour dire que l'ancien « voyant » rimbaldien n'est plus qu'un homme qui court chez les voyantes (allusion à *Arcane 17*[2] qui accorde une grande place au tarot et au goût déclaré du « pape du surréalisme » pour la parapsychologie). D'autres comme Pierre Jean Jouve (marié à une psychanalyste, traductrice de Freud) accuseront le surréalisme de n'avoir été qu'une « exploitation publicitaire de l'inconscient », sans aucune rigueur théorique. Tous ces griefs, et d'autres, ne manqueront d'être adressés au surréalisme – ce qui n'empêche point celui-ci de rester le mouvement poétique dominant du XXe siècle – le pendant, en quelque sorte, du romantisme au siècle précédent.

---

1. Paris, Nagel, 1947.
2. New York, Brentano's, 1945, repris dans « 10/18 », 1973.

VIII. Les mutations. La poésie contemporaine

Si l'on accepte de reprendre la distinction faite par Ferdinand de Saussure entre « signifiant » et « signifié », on pourrait avancer que la poésie française contemporaine connaît un clivage – plus ou moins prononcé – entre « poètes du signifiant » et « poètes du signifié ». Les premiers seraient plus attentifs aux mots et à leur matérialité, les seconds aux significations qu'ils véhiculent.

Le surréalisme a grandement contribué à conforter les tenants du « signifiant » par son culte de l'automatisme et l'attention portée au rêve. Une réaction s'est alors esquissée contre le primat du signifiant.

1. Poètes du signifié

L'un des soucis majeurs des poètes du milieu du XXe siècle aura été de s'affranchir de l'influence du surréalisme qui a affecté de façon très sensible la sensibilité artistique contemporaine. Le surréalisme s'est trouvé être au carrefour de sciences humaines qui ont conquis leur propre audience comme la psychanalyse et la linguistique. Le mouvement d'André Breton s'est d'autre part doublé d'une réflexion sur le marxisme et la révolution. Il n'empêche que, d'instinct, les plus grands poètes n'ont pas accepté la tutelle surréaliste. André Breton a lui-même procédé à des nettoyages périodiques et à des excommunications retentissantes, comme celle d'Antonin Artaud.

Char

Si l'on prend l'exemple de René Char (1907-1988), force est de constater que sa naissance à la poésie correspond à sa rencontre avec son aîné de 10 ans, Paul Éluard. Ce dernier introduit Char dans le milieu surréaliste parisien, et l'alliance est fortement scellée par l'écriture d'un livre à trois voix – une façon de prolonger l'expérience fondatrice des *Champs magnétiques*. *Ralentir travaux* paraît en 1930, fruit de la collaboration momentanée de Char, Éluard et Breton. En 1935, Char rassemble tous ses premiers textes sous le titre *Le Marteau sans maître*[1] – titre significatif qui implique que la création peut se passer d'un maître et faire cavalier seul au rythme d'une inspiration transcendante ; titre qui n'est pas non plus sans répondre en écho au « Ni Dieu ni maître » des anarchistes.

René Char propose alors des récits de rêve à côté de *Poèmes militants* – « militants » dans un sens qui n'est pas restrictivement politique mais au sens où il faut militer pour donner à l'Eros les pleins pouvoirs (un des poèmes est dédié à Sade). Enfin, René Char offre quelques-uns de ces aphorismes qui feront bientôt sa gloire. Dans la lignée d'Héraclite et des présocratiques, Char impose une voix où la Vérité veut se présenter dans un mouvement dialectique parvenu à son terme. A propos de Rimbaud, René Char écrit que chez lui « la diction précède d'un adieu la contradiction ». C'est également le cas dans la poésie de René qui occulte toute contestation et s'impose autoritairement sans révéler le trajet implicitement parcouru.

Après *Le Marteau sans maître*, René Char éprouve le besoin de s'éloigner des surréalistes dont il admire certes l'inventivité et l'étonnante jeunesse d'esprit, mais qu'il soupçonne déjà de certaines inconséquences idéologiques. René Char est proche d'André Breton lorsqu'il s'agit de célébrer l'avènement du Front Populaire en 1936 ou de dénoncer les crimes perpétrés par les franquistes contre la République espagnole (son recueil *Dehors la nuit est gouvernée*[2], dédié aux enfants de l'Espagne martyre,

---

1. Paris, Corti, 1935.
2. Paris, G. L. M., 1938.

en témoigne), mais un clivage s'opère irrémédiablement lors de la Seconde Guerre mondiale. Alors que Breton ne songe qu'à quitter la France pour rejoindre les États-Unis, René Char éprouve l'impérieuse nécessité de résister à l'envahisseur Nazi. Au stylo, le poète substitue le « colt » et devient chef de maquis sous le pseudonyme de capitaine Alexandre. De 1942 à 1944, René Char ne s'autorise que quelques notes lapidaires dans sa chambre de maquisard où se trouve épinglée une reproduction d'un tableau de Georges de La Tour qui incarne l'espoir. Composés dans le maquis entre 1943 et 1944, les *Feuillets d'Hypnos* ne seront publiés qu'après la guerre. Si la référence à Hypnos marque encore certain rapport au surréalisme si fondamentalement lié à l'expérience des sommeils hypnotiques), la page liminaire du livre entend insister sur la responsabilité du poète envers la communauté humaine dans le temps de l'épreuve et sur la nécessité de sortir du narcissisme inconséquent qui tend toujours à le guetter :

> « Ces notes n'empruntent rien à l'amour de soi, à la nouvelle, à la maxime ou au roman. Un feu d'herbes sèches eût tout aussi bien été leur éditeur. La vue du sang supplicié en a fait une fois perdre le fil, a réduit à néant leur importance. Elles furent écrites dans la tension, la colère, la peur, l'émulation, le dégoût, la ruse, le recueillement furtif, l'illusion de l'avenir, l'amitié, l'amour. C'est dire combien elles sont affectées par l'événement[1]. »

La poésie se renvendique comme événementielle. Elle est au ras de la lutte et ne s'autorise aucune mystification. Et Char d'ajouter :

> « Ces notes marquent la résistance d'un humanisme conscient de ses devoirs, discret sur ses vertus, désirant réserver l'inaccessible champ libre à la fantaisie de ses soleils et décidé à payer le prix pour cela[2]. »

Quand, au sortir de la guerre, Benjamin Péret publiera *Le Déshonneur des poètes* (une violente diatribe contre la poésie de Résistance qui, parce qu'elle s'est mise au service d'une cause, aurait failli à sa vocation), il sera bien avisé de ne pas compter Char parmi ses victimes car sa poésie échappe justement à tous les poncifs (il y en eut fatalement) des poèmes de résistance.

---

1. René Char, *Œuvres complètes*, Paris, Bibliothèque de la Pléiade, Gallimard, 1983.
2. *Op. cit.*

Quand un Pierre Jean Jouve laissait entendre dans son exil génevois qu'un de ses poèmes avait le même impact qu'une mitraillette, il y avait assurément de quoi sourire ! Ce qui est remarquable avec Char, c'est que le maquisard se refuse le droit d'écrire un quelconque poème et exclut toute idée de publication. Dans le feu (celui qui assaille l'ennemi mais aussi celui qui tue ses compagnons et ses frères de combat, tel Roger Bernard cruellement fusillé sous ses yeux alors que la situation exige stratégiquement l'absence de toute réplique), le poète ne prend que des « notes » furtives. Et ce sont paradoxalement ces notes qui composent le plus beau et le plus intense des recueils de résistance qui soient.

Et se vérifie là un des paradoxes dont le XXe siècle est si coutumier : moins une œuvre aspire volontairement à la poésie, et plus fortement elle y atteint. Autrement dit, elle crée la surprise d'une poésie nouvelle, inattendue, insoupçonnée. Le propre du grand poète n'est-il pas d'offrir au lecteur une voix qui, d'emblée, répond comme naturellement à son attente diffuse, à son désir profond ?

En tout cas, l'œuvre de René Char – même si on a pu la qualifier d'hermétique (mais l'obscurité n'a chez lui rien de mallarméen et cherche seulement à brouiller l'événementiel qui parfois la traque trop) – se veut fraternelle et aimantée. Cette aimantation ne répudie pas certaines visées romantiques comme le prophétisme (« On ne se bat bien que pour les causes qu'on modèle soi-même et avec lesquelles on se brûle en s'identifiant »).

Tout le dogmatisme d'une philosophie vitaliste l'anime et oriente sa poésie vers un art de vivre – aspect dominant pour beaucoup de lecteurs, enflammés par des aphorismes où le poète tout en se désignant, interpelle plus encore le lecteur, son frère :

> « Le poète, susceptible d'exagération, évalue correctement dans le supplice. »

ou

> « A chaque effondrement des preuves le poète répond par une salve d'avenir. »

Point de poésie refermée sur elle-même, mais une perpétuelle invitation – aux accents quelque peu nietszchéens parfois – à l'action, à la vie. Et aucune prévention contre un humanisme que beaucoup de contemporains considèrent avec commisération. La poésie est un combat pour l'homme, et contre toutes les tyrannies et tous les totalitarismes. Le poète refuse de jouer sur les mots ou avec les mots, même s'il a parfaitement conscience que « les mots en savent davantage sur nous que nous n'en savons sur eux ».

Le poète ne se conçoit que comme un être responsable et « intelligent jusqu'aux conséquences ». Le seul « mystère » auquel il consente (mais c'est pour le combattre avec « fureur ») est celui de notre « être-au-monde », pour reprendre une expression de Martin Heidegger dont René Char fut le proche et l'ami.

Frénaud

Maints poètes de la génération de Char ou de la génération postérieure placeront d'ailleurs leur poésie dans la mouvance des interrogations métaphysiques chères à Heidegger. C'est le cas notamment d'André Frénaud dont *Les Rois mages* paraissent au terme de la guerre et entament une sorte de rumination ontologique. Dans cette poésie, la tension s'alimente au questionnement qui est censé l'épuiser. Le poème est une quête, mais une quête incessante. Il n'y aura jamais de réponse – tout comme *Il n'y a pas de paradis* (c'est le titre d'un recueil de Frénaud). Mais la relance indéfinie de la question sans réponse, ponctuée par de rares moments de grâce (« passage de la visitation ») s'impose comme une nécessité pressante. La poésie est dans ce besoin, elle est ce besoin.

André Frénaud aura mené son œuvre en marge du surréalisme, même s'il a pu se prévaloir de l'estime ou de l'amitié de poètes comme Aragon, Éluard ou Leiris.

Bonnefoy

Yves Bonnefoy est en revanche un poète qui a eu besoin de se délivrer de l'influence surréaliste. Lorsque Bonnefoy (il est né en 1923) quitte Tours pour Paris, c'est pour se lier à des membres secondaires du mouvement surréaliste qu'il a livresquement découvert. Bonnefoy publie une revue, *La Révolution, la nuit* et un petit recueil, *Traité du pianiste*, qui ont des accents très surréalistes. Mais le jeune poète prend conscience d'un leurre qui l'a aveuglé. Lecteur enthousiaste de *Nadja*, il a cru à la « présence » humaine de l'héroïne chantée par André Breton. Mais cette « présence » n'aura été finalement qu'une « mauvaise présence » dans la mesure où Breton ne s'inquiète guère de Nadja internée et l'abandonne à son destin. Cette coupure entre l'œuvre entachée de clôture narcissique et le destin humain de Nadja offusque Bonnefoy qui ne peut supporter que Nadja ait été une « fée » sacralisée par Breton pour les besoins de son inspiration et de sa démonstration. Pour Bonnefoy, Nadja n'aura pas eu droit à « sa vérité, qui est trop simple, trop ordinaire » ; elle n'est tolérée par Breton que comme une « image » valorisée et valorisante. Et c'est là aux yeux d'Yves Bonnefoy l'erreur capitale du surréalisme que de ne pas avoir eu foi dans les formes simples de la vie et ld'avoir préféré « le déploiement de l'imaginaire au resserrement de l'évidence, la roue du paon aux pierres du seuil ».

Dès lors, Yves Bonnefoy n'aura de cesse de privilégier l'éloge de la « présence » et du « simple » au détriment des illusions multiformes de l'ailleurs. C'est ce qu'exprime fortement la longue prose de *l'Arrière-pays*[1] où le poète cherche à éviter l'écueil des rêves romantiques pour se concentrer sur l'« *hic et nunc* » d'une « présence » qui reste de toute façon, dans son œuvre, toujours problématique, tant son goût naturel de l'intellect – qui l'apparente à Paul Valéry, son frère-jumeau, détesté comme il se doit (tous deux ont d'ailleurs obtenu la reconnaissance institutionnelle d'une chaire au Collège de France) – l'entraîne vers une pensée conceptuelle qu'il n'a de cesse de combattre.

Le titre de la leçon inaugurale d'Yves Bonnefoy au Collège de France est *La Présence et l'image*. L'image, que le poète oppose à la présence, c'est essentiellement l'image surréaliste, cette métaphore que Bonnefoy ressent comme fonctionnant à vide. En fait, une puissante quête originaire pousse Bonnefoy à épouser le temps qui précède la formation des images, comme s'il voulait demeurer fidèle au remuement premier du monde, à son enfantement douloureux, avant tout blocage conceptuel. Dans sa leçon, Bonnefoy dit :

> « J'appellerai image cette impression de réalité enfin pleinement incarnée qui nous vient, paradoxalement, des mots détournés de l'incarnation[2]. »

L'image est donc empreinte de leurres insidieux. Elle prétend à l'incarnation, alors qu'elle n'en est que la copie trompeuse. Pour

1. Genève, Skira, 1972.
2. *La présence et l'image*, Paris, Mercure de France, 1983.

Bonnefoy, il s'agit d'en revenir à un dire simple – et surtout à ne pas se leurrer au seuil d'une écriture chargée de faux-semblant.

Mais cette simplicité est surtout une simplicité seconde qui doit traverser l'obstacle des concepts pour accéder à la transparence. Parfois, Yves Bonnefoy use, comme dans *Rue Traversière*, de la violence de l'oubli pour rejoindre le temps plénier de l'origine. En tout cas, l'activité métaphorique n'est jamais suffisante à ses yeux (on l'a constaté au chapitre II), qui incline trop l'œuvre à sa propre clôture, quand il faudrait s'ouvrir au « simple », par un effet de surprise savamment élaboré.

Jaccottet

Il est évident qu'un poète comme Philippe Jaccottet a un accès plus direct et plus naturel au « simple ». Jaccottet répudie non seulement toute grandiloquence ou gratuité, mais il s'attaque plus précisément aux comparaisons qui, pour reprendre une opinion de Robert Musil (dont Jaccottet est le traducteur) sont « une manière d'échapper à l'objet qu'elles prétendent, en général, honorer »... Ici, aucun souci de la belle image, aucun culte de la surprise, mais une discrétion qui confine à l'effacement. La poésie de Philippe Jaccottet procède par tâtonnements ou par ce qu'il appelle des « promenades » aux abords du poème. La poésie n'est pas un lieu où l'on s'installe. Elle est le lieu même des hésitations de l'homme et des tourments de la semaison. Avec Jaccottet, point de cérébralité dominante. Le poème naît d'un dessaisissement mais qui appelle à sa propre saisie. Georges Bataille l'a dit magnifiquement à propos de la poésie de Baudelaire :

> « En même temps qu'elle opère un dessaisissement, elle tente de *saisir ce dessaisissement*[1]. »

Le secret d'une certaine poésie est là, dans un travail de torsion sur soi. Jaccottet s'efforce de s'attacher au visible, de ne subir aucun débordement métaphysique. Mais il lui faut convenir que l'approche rétinienne du monde ne saurait suffir et qu'il doit constamment

> « aller du plus visible [...] vers le moins en moins visible, qui est aussi le plus révélateur et le plus vrai[2] »...

---

1. Georges Bataille, *La Littérature et le mal*, Paris, Gallimard, 1957.
2. Philippe Jaccottet, *Poésie 1946-67*, Paris, «Poésie-Gallimard », 1971.

Jaccottet s'efforce de trouver la juste distance entre la proximité et le lointain, entre le visible et l'invisible. Il ne les oppose pas, mais cherche à les concilier. C'est une façon de s'effacer (« L'effacement soit ma façon de resplendir ») devant un monde dont la présence parle et nous dévoile quelques signes fragmentaires mis peu à peu à la lumière du langage comme on recoud, astre à astre, la nuit. Il y a chez Jaccottet un certain parti pris des choses, mais qui n'est pas accompagné d'une étourdissante prise à partie des mots. Jaccottet reste l'explorateur d'un « signifié » même si celui-ci s'enfonce dans la nuit de nos limites.

2. Poètes du signifiant

A tous ces poètes décrypteurs d'un sens dont le monde serait chargé – sens qu'il est d'autant plus tentant de saisir qu'il se fait insaisissable –, s'opposent des poètes pour qui l'essentiel réside dans un travail sur le signifiant. Pour eux, la poésie est un jeu de mots, un jeu avec les mots, et c'est en acceptant de le pratiquer qu'on a la chance d'accéder à un « sens » qui ne sera pas soufflé de l'extérieur mais qui surgira du langage même, ce monde autonome, ce creuset de tous les secrets. L'attitude du poète perd ici toute allure métaphysique ; elle se fait matérialiste et avant tout ludique. Dans *Qu'est-ce que la littérature*, Jean-Paul Sartre a fait une excellente analyse de ces poètes qui refusent d'utiliser le langage comme un instrument, qui n'ont pas un souci primordial d'un sens qui émanerait des signes et qui tendent à considérer les mots comme des choses :

> « Le poète s'est retiré d'un seul coup du langage-instrument ; il a choisi une fois pour toutes l'attitude poétique qui considère les mots comme des choses et non comme des signes. Car l'ambiguïté du signe implique qu'on puisse à son gré le traverser comme une vitre et poursuivre à travers lui la chose signifiée ou tourner son regard vers sa réalité et le considérer comme objet. L'homme qui parle est au-delà des mots, près de l'objet ; le poète est en deçà. Pour celui-là, ce sont des conventions utiles, des outils qui s'usent peu à peu et qu'on jette quand ils ne peuvent plus servir ; pour le second, ce sont des choses naturelles qui croissent naturellement sur la terre comme l'herbe et les arbres.
>
> Mais il s'arrête aux mots, comme le peintre fait aux couleurs

et le musicien aux sons, cela ne veut pas dire qu'ils aient perdu toute signification à ses yeux ; c'est en effet la signification seule qui peut donner aux mots leur unité verbale ; sans elle ils s'éparpilleraient en sons ou en traits de plume. Seulement elle devient naturelle, elle aussi ; ce n'est plus le but toujours hors d'atteinte et toujours visé par la transcendance humaine ; c'est une propriété de chaque terme, analogue à l'expression d'un visage, au petit sens triste ou gai des sons et des couleurs. Coulée dans le mot, absorbée par sa sonorité ou par son aspect visuel, épaissie, dégradée, elle est chose, elle aussi, incréée, éternelle ; pour le poète, le langage est une structure du monde extérieur. Le parleur est en *situation* dans le langage, investi par les mots ; ce sont les prolongements de ses sens, ses pinces, ses antennes, ses lunettes ; il les manœuvre du dedans, il les sent comme son corps, il est entouré d'un corps verbal dont il rend à peine conscience et qui étend son action sur le monde. Le poète est hors du langage, il voit les mots à l'envers, comme s'il n'appartenait pas à la condition humaine et que, venant vers les hommes, il rencontrât d'abord la parole comme une barrière. Au lieu de connaître d'abord les choses par leur nom, il semble qu'il ait d'abord un contact silencieux avec elles puis que, se retournant vers cette autre espèce de choses que sont pour lui les mots, les touchant, les tâtant, les palpant, il découvre en eux une petite luminosité propre et des affinités particulières avec la terre, le ciel et l'eau et toutes les choses créées. Faute de savoir s'en servir comme signe d'un aspect du monde, il voit dans le mot l'*image* d'un de ces aspects. Et l'image verbale qu'il choisit pour sa ressemblance avec le saule ou le frêne n'est pas nécessairement le mot que nous utilisons pour désigner ces objets. Comme il est déjà dehors, au lieu que les mots lui soient des indicateurs qui le jettent hors de lui, au milieu des choses, il les considère comme un piège pour attraper une réalité fuyante ; bref, le langage tout entier est pour lui le Miroir du monde. Du coup d'importants changements s'opèrent dans l'économie interne du mot. Sa sonorité, sa longueur, ses désinences masculines ou féminines, son aspect visuel lui composent un visage de chair qui représente la signification plutôt qu'il ne l'exprime. Inversement, comme la signification est réalisée, l'aspect physique du mot se reflète en elle et elle fonctionne à son tour comme image du corps verbal. Comme son signe aussi [...]. Ainsi s'établit entre le mot et la chose signifiée un double rapport réciproque de ressemblance magique et de signification[1]. »

1. Jean-Paul Sartre, *Qu'est-ce que la littérature ?*, Paris, Gallimard, 1947, repris dans la collection « Idées », 1964, pp. 18-20.

Cratyle et Hermogène

Il s'agit là d'une transformation radicale que l'attitude poétique fait subir au langage. Elle remet en cause la croyance béate en la toute-puissance du signe et insiste sur son arbitraire. Le débat n'est pas, à vrai dire, nouveau. Dans le *Cratyle*, Platon nous convie déjà à assister à une discussion entre Cratyle et Hermogène. Cratyle considère qu'il y a une adéquation naturelle entre le mot et les choses ; il estime que le mot est une imitation de l'objet désigné, comme la peinture figurative est la restitution du motif choisi.

C'est là la position traditionnelle des poètes qui croient, comme l'a souligné Roland Barthes, « que les signes ne sont pas arbitraires et que le nom est une propriété naturelle des choses [1]». Le « cratylisme » peut aller jusqu'à impliquer la croyance en la puissance mimétique des sons linguistiques. D'après Court de Gébelin, un homme de lettres du Siècle des Lumières, le *r* serait la « consonne des mouvements rudes, brusques et bruyants, tandis que le *l* marquerait « une explosion très douce et très coulante ». Rimbaud n'a pas été sans attribuer certaines valeurs aux voyelles dans le célèbre sonnet qu'il leur a consacré. Mais il y avait de sa part peut-être plus une parodie du cratylisme qu'une adhésion à ses hypothèses. Toutes les rêveries sur le symbolisme des sons sont guettées par un délire interprétatif qui n'a rien de scientifique, même si on peut considérer que les voyelles forment des éléments stables et les consonnes des éléments instables dans la chaîne sonore du langage. Il n'empêche que la tentation a toujours été grande de fonder des théories sur le rapport entre le son et la langue. Dans *Les Mots anglais*, Mallarmé a soutenu l'existence d'un symbolisme phonétique, mais son ouvrage est loin d'être celui qui lui a assuré sa gloire.

Dans le dialogue de Platon, Hermogène n'accepte de voir dans la relation qui unit les noms et les choses que l'effet d'une convention artitraire. C'est toute la théorie de l'arbitraire du signe qui se profile dans son attitude. Elle entraîne une désacralisation du langage, de ce « Saint Langage » dont parlait Paul Valéry qui avait une confiance absolue dans le Verbe.

---

1. *Le Degré zéro de l'écriture*, Paris, Le Seuil, 1953.

Jouer de l'arbitraire des mots

Les dadaïstes ont contribué puissamment à la démystification d'un langage qui n'a pas été capable de s'opposer à l'horreur de la Première Guerre mondiale. Plutôt que d'avoir une quelconque maîtrise sur les mots, autant se laisser entraîner par eux. Un poète comme Max Jacob n'a pas hésité, à ses débuts, à laisser les mots aller où ils voulaient, « pour voir ». Dans *Avenue du Maine*, Max Jacob consent à la venue des mots pour voir où ils le mènent :

Ménage ton ménage.
Manège ton manège.
Ménage ton manège.
Manège ton ménage.
Mets des ménagements
Au déménagement.
Les manèges déménagent,
Ah ! vers quels mirages ?
Dites pour quels voyages
Les manèges déménagent[1].

Les mots sont ici conçus comme des osselets dont on joue avec la vague préoccupation d'un sens qui viendrait se raccorder après coup. Les mots mènent la danse, pièces d'une amusante marquetterie. Avec Robert Desnos (un des champions de l'écriture automatique dans le groupe surréaliste), l'arbitraire est poussé plus loin. Desnos montre par exemple qu'il est possible de composer avec des mots différents un texte dont les sonorités épouseraient celle de la célèbre prière chrétienne « Notre Père qui êtes aux cieux ».

notre paire quiète, ô yeux !
que votre "non" soit sang (t'y fier ?)
que votre araignée rie,
que votre vol honteux soit fête (au fait)
sur la terre (commotion)...[2]

La langue apparaît ici comme un code arbitraire où les sons font la nique aux sens !

Dans « C'était un bon copain », Desnos fait malicieusement

1. Max Jacob, *Les œuvres burlesques et mystiques de Frère Matorel*, Paris, Gallimard, 1912.
2. Robert Desnos, *Corps et biens*, Paris, « Poésie-Gallimard », 1968.

déraper – ou dérailler – le langage. Il révèle l'arbitraire des formules toutes faites, en tolérant la première mais en faisant sortir les suivantes de la norme :

Il avait le cœur sur la main
Et la cervelle dans la lune
C'était un bon copain
Il avait l'estomac dans les talons
Et les yeux dans nos yeux
C'était un triste copain
Il avait la tête à l'envers
Et le feu là où vous pensez
Mais non quoi il avait le feu au derrière...[1]

Des poètes comme Jacques Prévert, Jean Tardieu, voire Boris Vian, affectionneront à leur tour ce jeu sur l'arbitraire des mots. Il n'est que de songer à l'interversion de tous les compléments dans le célèbre poème *Cortège* de Prévert :

Un vieillard en or avec une montre en deuil
Une reine de peine avec un homme d'Angleterre
Et des travailleurs de la paix avec des gardiens de la mer
Un hussard de la farce avec un dindon de la mort
Un serpent à café avec un moulin à lunettes....[2]

Il faut dire que certains expérimentateurs du début du siècle ne se sont pas contentés de jouer avec les expressions toutes faites du langage et qu'ils ont tenté de créer une poésie phonique fondée sur les seules onomatopées. C'est le cas de Hugo Ball et du peintre Kurt Schwitters. La poésie bascule soudain du côté de la musique. Mais l'onomatopée généralisée est-elle encore poésie ? Toujours est-il qu'un certain nombre de poètes américains d'aujourd'hui (qui ont quelques suiveurs en France) n'envisagent le fait poétique que dans le cadre de « performances » où il disent, voire crient, leurs poèmes avec une marge plus ou moins grande d'improvisation. Et l'on constate toute une tendance poétique prompte à se rapprocher des arts non linguistiques. Après le calligramme cher à Apollinaire (où jouait la dialectique du sens linguistique et de la forme plastique), est apparu le « logogramme » inventé par le poète et peintre belge Christian Dotremont. Les signes d'écriture s'y abandonnent au seul plaisir du dessin. Le sens n'importe plus, supplanté qu'il est par l'aventure graphique.

---

1. *Op. cit.*
2. Jacques Prévert, *Paroles*, Paris, Gallimard, 1945.

Queneau et L'Oulipo

L'OU.LI.PO (Ouvroir de littérature potentielle) n'est pas allé jusqu'à ces expériences maximalistes. Il a simplement voulu, comme le fit un jour Picabia, mettre des moustaches à la célèbre « Joconde » de Léonard de Vinci. Pour Raymond Queneau et ses amis, il s'agit toujours d'opérer une démystification du langage. Car, au fond, « Un poème c'est bien peu de chose » en regard de toute la misère du monde et des catastrophes qui meurtrissent les hommes. Queneau s'attaque surtout au mythe de l'immortalité – cette immortalité dont le poète veut croire que ses poèmes bénéficieront au-delà de sa mort :

Ce soir
si j'écrivais un poème
pour la postérité ?
fichtre
la belle idée
je me sens sûr de moi
j'y vas
et
à
la
postérité
j'y dis merde et remerde
et reremerde
drôlement feintée
la postérité
qui attendait son poème
ah mais[1].

Pour dénoncer ce mythe omniprésent chez les créateurs, Queneau use du vocabulaire le plus familier et introduit le langage parlé et même l'argot au milieu du vocabulaire policé qui sert de support au poème. La célèbre technique « S + 7 » élaborée par les membres de l'Oulipo (elle consiste à prendre un texte connu et à en remplacer les substantifs par les septièmes substantifs qui les suivent dans un dictionnaire quelconque) est une façon de dynamiter les conventions et de montrer que l'intrusion de l'arbitraire ne détruit pas forcément la signification d'un

1. Raymond Queneau, « Pour un art poétique », in *L'Instant fatal*, Paris, « Poésie-Gallimard », 1966.

poème, mais lui donne un suc nouveau, inattendu et souvent hilarant.

L'originalité de Ponge

Quoi qu'il en soit, l'humour et l'ironie qui s'incrustent dans le langage ne visent pas à un simple amusement superficiel mais impliquent une interrogation plus générale sur l'homme et ses pouvoirs. C'est le cas de la poésie très personnelle de Francis Ponge (1899-1988). Sa tentative est originale. Il ne s'agit pas de jouer simplement avec les mots, mais de les mettre au rang des choses pour mieux les prendre à partie en tant que mots.

Dans *Pièces* (1962), Francis Ponge déclare d'emblée qu'il aime «un écrit quand il passe pour insignifiant ». C'est que Ponge n'a aucun goût pour le prophétique ou le transcendant. Les grandes vérités, il n'y croit guère, lui qui préfère s'attacher à la description d'objets tout simples comme un galet, une lessiveuse, une valise – ou encore à une figue, une table, un pré ou une crevette.

Contre l'inondation des paroles inutiles, Ponge ne voit qu' « une seule issue : parler contre les paroles ». Lui qui s'interdit « le moindre soupçon de ronron poétique », il se dit toujours prêt à donner un « bon coup de reins pour en sortir ». « Faire un poème » lui importe, de toute façon moins que de «rendre compte d'une chose (dans l'espoir que l'esprit y gagne, fasse à son propos quelque pas nouveau) ».

En 1971, dans *La Fabrique du pré*, Ponge a consenti à donner les secrets de « fabrication » d'un de ses poèmes conçus en 1960, « Le Pré ». Dans *La Fabrique du Pré*, on peut lire ces lignes étonnantes de la part d'un poète :

> « Point d'imposture, nous préférons l'explication à la poésie[1] ».

Ponge a composé « Le Pré » à partir d'une émotion ressentie avec sa femme devant un pré bien précis. Mais ce pré, il n'a été nullement question d'en faire une description à la manière d'un peintre figuratif ; c'est ce qu'exprime le poème lui-même :

> *Prendre un tube de vert, l'étaler sur la page,*
> *Ce n'est pas faire un pré.*

---

1. Ponge, *La Fabrique du pré*, Genève, Skira, 1971.

Ils naissent autrement.
Ils sourdent de la page[1].

Le pré poétique ne naîtra donc qu'au prix d'une subtile exploration étymologique. Pourtant l'étymologie latine du mot « pré » est loin de satisfaire Ponge qui préfère s'attacher aux sonorités de « pré » et de mots voisins comme « près », « prêt », à la grande débauche de la préposition « pré- » qui investit la langue française ou à des expressions glanées ici ou là comme « le Pré-aux-clercs » ou comme le « clavecin des prés » découverte dans une des *Illuminations* de Rimbaud. A partir de ces éléments purement linguistiques, Francis Ponge composera son poème, beaucoup plus hanté par des « onomatopées originelles » que par un souci descriptif.

Telle est bien l'originalité de l'entreprise de Francis Ponge : enlever au poème les béquilles du référent pour le lancer dans un jeu d'esquisses ou d'esquives d'associations verbales. Le choix de l'objet à décrire n'est cependant pas anodin. L'objet, c'est ce qui initialement provoque le désir et qui, dans « la fonction profondément sexuelle de d'écriture », meurt « dans l'opération qui consiste à faire naître le texte ». Nécessaire au départ, mais non point suffisant, le référent s'efface pour que puisse s'élancer le poème. L'objet passe ainsi à l'état d'« *objeu* » pour culminer, lorsque le poème est réussi, en « *objoie* ». Les choses, dont Ponge prend le parti (son recueil *Le Parti pris des choses*, en 1942, a fait date), ne sont donc approchées qu'à travers l'« épaisseur vertigineuse du langage ». Mais pourquoi finalement une telle « rage de l'expression » ? Dans *Le Peintre à l'étude* (livre consacré à Braque et Fautrier), Ponge répond indirectement :

> « Ce qui se conçoit bien s'énonce clairement : sans doute. Mais seulement ce qui ne se conçoit pas bien mérite d'être exprimé, le souhaite, et appelle sa conception en même temps que l'expression elle-même. La littérature, après tout, pourrait bien être faite pour cela... Etre considérée à juste titre dès lors comme moyen de connaissance[2]. »

« Rendre compte de la profondeur substantielle de la variété et de la rigoureuse harmonie du monde[3] », telle est l'ambition du langage. On le voit, la littérature ne se veut pas simple jeu sur les mots, mais une façon d'en extraire des secrets fondamentaux.

---

1. *Op. cit.*
2. Francis Ponge, *Le Peintre à l'étude*, Paris, Gallimard, 1948.
3. *Op. cit.*

Tortel et les solutions aléatoires

L'interpellation du « signifiant » ouvre sur un « signifié » nouveau. D'ailleurs la distinction entre poètes du signifiant et du signifié est un peu artificielle. Jean Tortel, qui est proche de Ponge, a beau écrire, un *Discours des yeux*[1], il ne se jette pas pour autant de la poudre aux yeux ! Le constat rétinien ne saurait être une finalité de la poésie. Il faut que le poème oscille toujours, selon lui, entre une qualification toute simple et un discours plus ordonnateur. Les solutions de langage sont toutes arbitraires, tout comme les espaces dévolus au poème. Dans *Arbitraires espaces*, Tortel dresse un magistral et symbolique barrage contre la tendance poétique à la généralisation métaphysique. L'auteur de *Limites du regard* (ce titre marque une volonté d'assumer la finitude humaine) propose des fragments de phrases, à chaque ligne ponctuées de points, et l'on a l'impression que les butées incessantes des points constituent un obstacle qui assure la relance de la source créatrice. Impression étrange, l'œil s'arrête, mais la voix continue :

Plusieurs chacun.
Divisible ou pervers.
Coexistants on pourrait.
Qualifier sans contresens.
Espaces l'insituable.

(*Arbitraires espaces*, Paris, Flammarion, 1987).

La poésie s'apparente ainsi à une infinie variation sur la double instance du signifiant et du signifié – tremplin idéal de la métaphore.

Les transgressions d'Henri Michaux

Les grands poètes s'accommodent toujours mal des catégories dans lesquelles on voudrait les enfermer. Et c'est pourquoi, chez Henri Michaux, la transgression est un aiguillon essentiel. A l'épreuve, répond l'exorcisme – mais un exorcisme qui, loin de placer le poète hors de portée de lui-même, le ramène au cœur de son tourment. Pour le critique Maurice Blanchot, Michaux

1. Marseille, Rejâon-ji, 1982.

> « est l'écrivain qui, au plus près de lui-même, s'est uni à la voix étrangère [...], une voix qui imite la sienne et qu'il convient de saisir – tout en la répudiant – à la faveur d'un humour redoublé et d'une innocence calculée. Peintre, Henri Michaux rêve d'échapper à l'emprise du « verbal » (« A bas les mots »), ainsi qu'aux ruses du conceptuel et du culturel. Pour ce faire, il les malaxe, les triture, les bat, les passe à la broche ou les soumet à une « mitrailleuse à gifles ». Pour Henri Michaux, tout est combat au sein d'une nuit qui ne cesse de remuer et à laquelle il aimerait ne point participer, préférant « l'irréel, l'irréalisable, l'indifférence à la réalisation[1] ».

La poésie de Michaux s'adonne ainsi à une sorte d'esperanto lyrique où les vocables de l'enfance viennent s'entrechoquer. Et il privilégie des parcours pictographiés (où les signifiants font la nique aux signifiés) qui se voudraient « le phrasé même de la vie, mais souple, mais déformable, sinueux », en même temps qu'ils sont le moyen le plus efficace de défier le « langage organisé, codifié, hiérarchisé ». Michaux, dans son désir de non-expression, désigne, en fait, le point focal où l'expression puise dans son propre épuisement – manière très contemporaine de court-circuiter les signifiants tout autant que les signifiés. Transgression suprême du code poétique...

3. La modernité en quête d'elle-même

De l'illisibilité au « rythme »

Pour les poètes français qui, dans les années 1960, ont définitivement tourné le dos au surréalisme, les pôles d'attraction deviennent le formalisme (Todorov commence à révéler au grand public les textes des formalistes russes) et le structuralisme. Finies les séductions de l'étincelle surréaliste ; il s'agit désormais d'établir des connexions et des disjonctions dans un langage chargé de suspicion. S'estompe d'ailleurs la thèse soutenue par Jean Cohen selon laquelle « la fonction de la prose est dénotative », et « la fonction de la poésie [...] connotative[2] ».

Contre la connotation et la métaphorisation à tout crin, on a

---

1. *Le livre à venir*, Paris, Gallimard, 1959.
2. *Structure du langage poétique*, Paris, Flammarion, 1966.

envisagé d'autres positions. Tzvetan Todorov a ainsi pu proposer le concept d'« illisibilité ». Pourquoi n'y aurait-il pas un « discours opaque » et « sans référence » ? Certaines *Illuminations* de Rimbaud participeraient, selon Todorov, de ce principe d'illisibilité. Tout décryptage du texte serait un leurre, tant l'irréductibilité du poème est inattaquable. La revue *Tel Quel*, qui « récupérera » un moment Francis Ponge, n'aura de considération que pour les signifiants, engagés le plus possible dans une spirale de folie dont Antonin Artaud sera le hérault désigné... Dans la lignée de *Tel Quel*, la revue *TXT* animée par Christian Prigent, proclamera que « la nécessité d'écrire est liée à celle de l'invention d'un langage qu'aucune autre bouche n'a parlé ». Refusant tout autant le langage ordinaire que le langage littéraire, Christian Prigent œuvre pour la copulation des signifiants, sans souci d'un quelconque débouché métaphorique.

D'autres poètes s'attacheront à explorer les ressources de l'oralité et du « rythme ». Auteur d'un monumental ouvrage polémique intitulé *Critique du rythme*[1], Henri Meschonnic voudrait accréditer l'idée selon laquelle la modernité réside dans cette recherche du rythme, par-delà les aléas du signifiant et du signifié trop longtemps convoqués au rendez-vous de la poésie. Dans *La Vieillesse d'Alexandre*[2], le poète Jacques Roubaud, (auteur remarqué, en 1967, de ε, un recueil à lire selon les règles du jeu de go), a voulu montrer que la modernité résidait, elle aussi, dans l'abandon progressif de l'alexandrin au profit de formes apparemment plus libres. Ce parti pris marque une volonté d'en finir avec les problèmes du sens. La forme serait le corset du sens, et tous deux obéiraient à des structures de plus en plus « éclatées ».

Rupture et continuité

Une idée-force de la modernité est celle de rupture. Alors que, du temps des romantiques, la continuité et la fidélité à soi étaient la règle en matière artistique, le début du vingtième siècle a valorisé l'idée de rupture. Tout poète se doit d'être en rupture avec l'esthétique qui a précédé et même avec sa propre esthétique. Chaque recueil serait ainsi une réfutation du recueil

1. Lagrasse, Verdier, 1982.
2. Paris, Maspéro, 1978.

précédent. André Breton a parlé de « rupture inaugurale », et les avant-gardes ont privilégié la politique de la table rase ainsi que « l'expérience des limites », pour reprendre une expression de Philippe Sollers. On verra ainsi Pierre Jean Jouve rejeter spectaculairement, en 1925, toute l'œuvre qu'il avait écrite depuis 1909. Dans *Noces*, il entame une *vita nuova* et écrit « le mot du premier mot du livre ». Nourri de Nietzsche, il estime que l'artiste ne peut progresser qu'au prix de son propre sacrifice existentiel – de son « sang ». Jouve, comme d'autres poètes, s'appuie sur le modèle christique selon lequel il faut mourir pour renaître, connaître la « matière d'en bas » pour accéder à la « matière céleste ». Rompre serait comme injecter un sang neuf dans la création.

Contre l'invasion de l'idée de rupture, certains créateurs n'ont pas manqué de s'insurger, conscients que rompre pour rompre pouvait entraîner une inflation sans contenu ni consistance. La continuité viendra ainsi prendre le visage d'une innovation. Pierre Oster, fort imprégné de Saint-John Perse, a décidé d'écrire toute sa vie un même poème dont il numérote les fragments, retrouvant ainsi la grande coulée d'un Patrice de La Tour du Pin et de sa *Somme de poésie*[1]. Le modèle de Pierre Oster n'est plus Rimbaud, mais Lamartine…

Il faut cependant convenir que rupture et continuité s'inscrivent dans un tissu dialectique sécurisant que la critique thématique – très longtemps dominante (qu'on songe aux *Onze études sur la poésie moderne*[2] de Jean-Pierre Richard) – n'a fait qu'accréditer. Pour Richard, le « non » initial des poètes qu'il a analysés (de Reverdy et Éluard à Dupin et Du Bouchet) s'inverse en un « oui » , et l'acte de rompre entraîne toujours une heureuse réunification finale. La dialectique christique aura eu longtemps bon dos ! Conscient de l'étau dans lequel la poésie tend à s'enfermer, le poète mexicain Octavio Paz a pu remarquer, dans *Point de convergence*, que « la tradition de la rupture n'implique pas seulement la négation de la tradition, elle implique la négation de la rupture même ».

Mais rompre seulement avec la revendication de rupture est une façon habile pour le conservatisme de se donner bonne conscience. Les poètes chrétiens (ils sont légion, de Pierre

1. *Une somme de poésie* (1946), Paris, Gallimard, 1981.
2. Paris, Le Seuil, 1964.

Emmanuel à Jean-Claude Renard ou Jean-Pierre Lemaire) s'y engouffrent, qui font de la prière le ressort transcendant de leur création. Pour eux, le « Dieu est mort » de Nietzsche n'a pas lieu d'être, tandis que pour d'autres il est la formule-clé de la modernité.

Être moderne, contemporain ou « extrême-contemporain » (les étiquettes ont l'inflation pour alliée), ce serait alors refuser à la poésie une fonction de religion, fût-elle laïcisée. Pour des poètes comme Claude Royet-Journoud ou Anne-Maria Albiach, les réflexes surréalistes n'ont plus cours, ni le goût péremptoire des manifestes. Finies les intentions fièrement claironnées, fini le cérémonial de la transgression (qui habite tant l'œuvre de Georges Bataille et de certains de ses descendants comme Bernard Noël). La modernité se signale désormais par l'absence d'intentions, et par le refus de la téléologie hégélienne si assoiffée de finalités.

Marges et fragments

Les pensées centralisatrices sont répudiées et même submergées par ce qu'elles avaient coutume de marginaliser. Le livre est maintenant un *Livre des marges*, pour reprendre un titre d'Edmond Jabès. La périphérie l'emporte sur le centre, thématique qui hante la poésie de Jacques Réda, auteur d'un significatif *Hors les murs* et adepte d'une « tourne » incessante qui affectionne les subreptices déviations car « ce qui dévie, dévie en vertu d'un sens encore plus profond des lois et de l'équilibre ». Dans *Mezza voce*, important recueil paru en 1984, Anne-Maria Albiach parle de la « dévoration des centres de gravité » et exprime le « renversement » auquel la poésie est parvenue.

Aujourd'hui la rupture n'est plus un emblème ou une mise en scène. Elle innerve le tissu même de textes en quête de jointures (Michel Deguy parlera de « jumelages » avant d'assigner à la poésie dans la foulée des théories sur la réception de Jauss, une fonction de « donnant donnant », loin des bruits du monde médiatisé), et non des finalités transcendantes. La poétique de la rupture ne s'inverse pas en son facile contraire (une poétique de la continuité), elle fait place à une poétique du renversement et de la perte d'équilibre. Loin de susciter l'angoisse, elle ouvre, comme l'écrit Claude Royet-Journoud, sur « un vide non sans douceur ». Le poème n'a plus rien d'un déluge salvateur ou régénérateur. Au contraire, le poète est ainsi défini par Royet-Journoud :

> *sans étendre le désastre*
> *dans chaque pièce*
> *selon la densité des choses*
> *il s'emploie à défaire l'ensemble.*
>
> (*Les objets contiennent l'infini*, Paris, Gallimard, 1983).

Ainsi que Jacques Derrida en a montré la direction dans des livres comme *L'Écriture et la différence* ou *La Dissémination*, il s'agit de participer à une « déconstruction » désireuse d'en finir avec la dialectique hégélienne et même avec les fausses destructions d'un Nietzsche ou d'un Heidegger qui, en opérant à partir de concepts hérités de la métaphysique, font ressurgir toute la métaphysique qu'ils prétendaient éroder. Or, pour Derrida, l'idée de totalité et de cohérence totale est à répudier. Un texte produit des sens non totalisables et offre un espace tensionnel où, sans discontinuer, des sens se font et se défont, sans souci d'un centre ou d'une origine illusoires.

Emmanuel Hocquard exprime bien cette nouvelle façon de lire – et d'exprimer – le réel dans une page de son *Album d'images de la villa Harris* :

> « ...cette irréductibilité du fragment à réintégrer l'ensemble original amorça, par le biais des lacunes, la disparition du support et la perte définitive du modèle, l'hypothèse d'une nouvelle redistribution du monde, née du hasard de ces éclats auxquels quinze siècles d'ensablement avaient conservé aux couleurs une étonnante fraîcheur, dans le pressentiment d'une rythmique où l'*entre* commençait à engloutir à travers la ville morte la vivante, et jusqu'à la mer proche, la saison déjà très avancée avec le risque des grandes marées d'équinoxe[1]... »

La poésie consent ici à l'« irréductibilité du fragment » et, loin d'aspirer à « réintégrer l'ensemble original », se défait plutôt de son support et de son modèle pour privilégier « *l'entre* » et toutes les possibilités de desserrement de l'écriture.

On est ainsi très loin des visions oraculaires et prophétiques d'antan. La constatation de l'évidence est devenu un mode poétique, dans le temps même où la métaphore se retrouve « en retrait » (Derrida).

Il n'y a pas lieu de s'attrister de l'immersion soudaine de la

1. Emmanuel Hocquard, *Album d'images de la villa Harris*, Paris, Hachette littérature, 1978.

poésie au milieu d'objets qui ne sont de toute façon jamais simples, mais complexes, à l'instar de l'atome dont l'élément primordial ne cesse d'éclater. Encore cet atome, symbole d'une origine par trop bien circonscrite, est-il convié ici à se dissoudre parmi tous les éléments d'un monde prêt à assumer une fragmentation généralisée.

Alors que très souvent les poètes se sont efforcés de dépasser une contradiction ou de dire le malheur de ne pouvoir la dépasser, beaucoup de poètes d'aujourd'hui acceptent sans faux-fuyant cette contradiction – et même parfois avec une sorte d'épicurisme naturel. Certains n'y discernent même pas une contradiction, sauf à considérer que la poésie recèle une contradiction essentielle, car si un mot est une chose, c'est aussi le contraire dans la mesure où on remplace le mot par la chose !

La poésie française d'aujourd'hui est assurément multiple : elle comprend des poètes qui entendent privilégier le « simple » (mot d'Yves Bonnefoy dont la fortune est grande auprès des ennemis du « signifiant »), d'autres dont la création est mue par une croyance surplombante (mais la poésie militante ou « engagée » au sens politique a, pour sa part, disparu après avoir connu de belles heures, avec Éluard et Aragon, pendant la Résistance et dans l'immédiat après-guerre), d'autres encore qui se complaisent radicalement dans le signifiant (et qui sont cautionnés par les thèses, elles-mêmes radicales, d'un Michaël Riffaterre pour qui le seul référent du poète et de son lecteur, c'est le langage, et le seul mode de fonctionnement poétique l'intertextualité). Il est même des poètes qui n'en ont point fini avec les démons oraculaires du romantisme (mais le prophétisme est-il un trait exclusivement romantique ?)

Les poètes les plus novateurs (encore que l'innovation puisse, par trop-plein mimétique, s'inverser en son contraire...) sont peut-être ceux qui, tels Bernard Vargaftig, Jude Stefan (à la décapante préciosité), Dominique Fourcade (qui donne avec *Xbo* un « poème toussé/Par quintes », à la recherche d'une indécise voix originaire) ou Denis Roche, se situent à l'intérieur d'une problématique de la scansion et de l'accentuation musicale de leurs textes. Auteur du *Mécrit* (où s'exprime certain mépris de l'écrit et de la poésie – jugée « inadmissible »), Denis Roche s'est tourné vers la photographie. Dans *Notre antéfixe*, son texte tend à rivaliser avec la captation instantanée des appareils polaroïd ; la poésie sort alors du cycle habituel de la surimpression pour éprouver la seule successivité. Le sens n'est pas répudié, mais il ne fait jamais que commencer à s'installer sur une page dont le quadrillage (la largeur des lignes est égale et arbitraire) aspire à mettre le feu à la poudre du récit qui s'ébauche. Beaucoup de poètes d'aujourd'hui ne récusent cependant pas certaine narrativité, et Denis Roche lui-même a donné dans *Louve basse* une sorte de roman qui est, selon Jean-Marie Gleize, une « auscultation cynique-pornographique de la littérature » (in *Poésie et figuration*, p. 253).

Le roman n'est plus marginalisé comme le lieu de la continuité, tandis que la poésie s'adonnerait aux délices de la rupture. Les rapports peuvent se transformer par transvasements réciproques. *Aurora* de Michel Leiris, *Le Bavard*, de L.R. des Forêts ou *Eden, Eden, Eden* de Pierre Guyotat méritent assurément d'être rangés parmi les poèmes du XXe siècle. L'on constate un phénomène similaire avec le théâtre – et les textes, par exemple, d'Olivier Cadiot ou de Valère Novarina. Il y a peut-être des limites, mais non point des frontières entre la poésie et les autres genres littéraires. Ce brassage n'est-il d'ailleurs pas, pour la poésie, une heureuse occasion à la fois de se naturaliser et de se revitaliser – de se perdre pour retrouver sa voix profonde, secrète et mystérieusement irréductible ?

IX. Le métier poétique

1. Une versification moderne ?

Il s'est produit, au cours de la seconde moitié du XIXe siècle, une révolution dans la poésie française. La rhétorique, autrefois dominante, a reculé, voire disparu ; une conception nouvelle s'est imposée que, faute d'un meilleur terme, nous appelons communément « moderne ».

Mallarmé a été l'un des artisans de la « révolution poétique , et l'un de ses plus lucides observateurs. Lorsqu'il en parlait, Mallarmé mettait en avant les questions de technique. A Oxford, il annonce : « On a touché au vers ». Il publie dans le *National Observer* une étude intitulée : « Crise de vers ». Pourquoi accorder une telle importance à la versification, à l'écroulement du système classique, aux nouvelles expériences alors en cours, dont le vers libre ?

La poésie française a été dominée pendant trois siècles par un système contraignant, dont on se rappelle surtout qu'il se compose de règles, d'obligations, d'interdictions. La « crise de vers » met fin à la contrainte : les poètes composent désormais à leur gré, sans se laisser entraver par quelque code que ce soit.

Peut-on parler de versification autrement qu'en termes de préceptes ? En d'autres termes, l'expression « versification moderne » a-t-elle un sens ?

Une première remarque s'impose : on ne pourra pas traiter de versification moderne comme on traite de la versification classique. On ne le pourra pas parce que le système classique est un système normatif, alors qu'au XXe siècle la notion de norme a disparu : un poème n'est plus jugé sur sa conformité à un modèle obligatoire.

Le système classique est, d'autre part, un système au sens plein du mot, pourvu d'une cohérence : les éléments qui le composent sont en relation les uns avec les autres. Aussi a-t-il subsisté sans changement pendant une longue période, de la fin du XVIe siècle à celle du XIXe, pour s'effondrer en peu de temps dès qu'a été remis en cause un de ses éléments importants : la concordance entre métrique et syntaxe.

Il n'y a rien de systématique dans la versification moderne. Chaque poète choisit des techniques variées et les assemble comme il l'entend. L'un recourt au vers mesuré, mais abandonne la rime ; l'autre utilise la rime, mais dans un vers libre. Il serait plus conforme à la réalité de parler de « versifications modernes », au pluriel.

Et il est plus urgent de multiplier les descriptions de pratiques poétiques réelles que de chercher un principe synthétique qui n'existe peut-être pas.

S'il est vrai qu'on ne peut pas parler des versifications modernes comme on parle de la versification classique, il est aussi vrai que l'on ne peut pas parler des versifications modernes sans parler de versification classique. Car la tradition est toujours plus ou moins présente au milieu des expériences novatrices.

Mais il faut prendre garde à ne pas se laisser prendre dans des querelles trop générales pour qu'elles puissent aboutir à une solution. Certains théoriciens ne s'intéressent, dans la versification moderne, qu'à ce qui rappelle, de près ou de loin, la versification classique : devant le vers libre ou le poème en prose, ils pensent devoir rester muets ; pour tout dire, ils reculent devant ce qui ne leur paraît pas « régulier », quel que soit le sens que l'on donne à ce terme ambigu. D'autres théoriciens, au contraire, entendent mépriser tout ce qui relève de la versification classique, dans la pensée que des survivances ne peuvent pas avoir une signification essentielle.

Il est clair que ces querelles sont liées aux déclarations des poètes eux-mêmes, dont les uns ont un faible pour la tradition, alors que les autres préfèrent à tout la liberté. Elles peuvent donner lieu à amplifications rhétoriques, à dissertations. Elles compromettent l'observation de la réalité.

En lisant les poèmes plus que les manifestes, on se rend compte que s'y retrouvent, en nombre plus ou moins grand, des éléments traditionnels, autrefois intégrés au système classique. Pour prendre un exemple très simple, il est fréquent qu'au milieu de vers libres apparaisse un alexandrin en tout point conforme à l'usage ancien. Le phénomène peut avoir des significations très variées, frappantes ou presque imperceptibles. Dans son *Ode à Charles Fourier*, André Breton écrit, à propos de la classification des passions proposée par ce penseur :

« Tout tient sinon se plaît dans ses douze tiroirs[1]. »

Les douze syllabes du vers entretiennent un rapport sans doute ironique avec le sens de ce vers, ou tout au moins avec l'un des éléments de ce sens.

Une seule interprétation est exclue : celle selon laquelle le poète aurait composé un alexandrin pour se conformer à une règle. Mais avant d'en venir à interpréter, il faut avoir vu. Donc il faut connaître les usages classiques.

Les poètes, en général, ont appris leur art en lisant des poèmes, modernes et anciens ; ils ont dans la mémoire un certain nombre de rythmes et de formes dont ils font éventuellement usage à leur tour. La versification classique leur sert non de code, mais de répertoire de procédés.

L'étude des versifications modernes suppose donc que l'on puisse aussi rendre compte de la manière dont sont utilisées, dans des textes récents, des formes traditionnelles.

L'idée d'une versification normative est si bien ancrée, qu'on a le plus grand mal à traiter de vers sans songer à des règles. Cette difficulté n'est malheureusement pas la seule.

Il faut également tenir compte d'une terminologie compliquée, ambiguë, souvent génératrice d'erreurs. Chose étrange, on est facilement confus quand on parle de versification. Les termes habituels ont souvent plusieurs sens ; nombre d'entre eux sont inutiles ; d'autres désignent des phénomènes minimes, auxquels on accorde une importance démesurée, alors que l'on ne sait comment nommer des réalités essentielles.

Le plus urgent n'est pas de fabriquer des néologismes rébarbatifs. On aurait beaucoup fait si on avait simplifié le vocabulaire,

---

1. André Breton, *Signe ascendant*, Paris,« Poésie-Gallimard », 1968.

éliminé ce qui ne sert à rien, et donné à chaque notion son importance réelle.

Une dernière remarque préliminaire : la versification n'existe pas isolée pour elle-même. On ne peut pas l'apprendre dans l'abstrait. Il faut la rencontrer dans les poèmes réels, prendre autant que possible ces poèmes dans leur ensemble. Il ne s'agit pas de penser que tout phénomène de versification doit prendre un sens, doit recevoir une interprétation. Il suffit de se rappeler que les plus belles techniques du monde n'ont que peu de valeur si elles ne produisent pas d'objets.

2. L'héritage médiéval

Le système classique de versification a transformé en un code, au sens où l'on parle du code de la route ou du code pénal, un ensemble d'usages qui remontent aux origines de la poésie française. Il n'est pas question de décrire ici dans le détail les techniques poétiques utilisées au Moyen Age. On se contentera d'indiquer l'essentiel de ce que la tradition a conservé.

Depuis le début, le vers est défini par sa conformité à quelques modèles consacrés. Il convient de distinguer deux espèces de vers.

Un vers est défini par un nombre de syllabes. Il est inutile d'appeler ces syllabes des « pieds » ; c'est inutile, et, de plus gênant, quand on passe à l'étude d'autres métriques, comme les métriques anglaise, allemande, latine, arabe, où le mot « pied » a un autre sens.

Les modèles de vers simples ont de une à huit syllabes. Les plus brefs sont les moins souvent utilisés.

Les vers composés sont articulés en deux parties. Le décasyllabe compte quatre plus six syllabes. Les deux parties du vers sont séparées par une césure. L'alexandrin compte deux parties de six syllabes chacune, séparées par une césure. La définition précise de la césure présente certaines difficultés qui seront examinées plus loin.

Au Moyen Age, le décasyllabe est beaucoup plus fréquent que l'alexandrin.

On peut considérer comme exceptionnels les vers de neuf, onze ou treize syllabes, articulés ou non.

Depuis le XIIIe siècle, les vers français sont rimés ; chaque vers est lié à un ou plusieurs autres vers par l'identité du son vocalique final et des sons consonantiques qui la suivent éventuellement (homophonie). Au XIIe siècle, on se contentait encore dans certains cas de l'assonance, simple identité du son vocalique : il y a assonance entre « arbre, canal, sonate, celui-là ».

Il faut prendre garde au fait que la stylistique utilise le mot assonance même dans l'étude d'un texte en prose pour désigner la fréquence remarquable d'une voyelle. En métrique, le mot ne désigne que la répétition d'une voyelle à la fin de deux vers proches.

La rime, et l'assonance, sont un moyen d'indiquer la fin du vers, même à un auditeur qui n'a pas le texte sous les yeux : il faut se rappeler que longtemps, et sans doute jusqu'au XIXe siècle, la poésie a surtout été lue à haute voix.

Si l'on peut définir le vers composé comme un vers articulé en deux parties et non comme un ensemble de deux vers, c'est parce que la rime intervient. Il est exceptionnel que les deux parties du vers riment entre elles. L'alexandrin est un vers de douze syllabes, réparties en deux ensembles de six syllabes, et non pas une suite de deux vers de six syllabes. La césure est perçue comme un suspens, non comme une fin.

Discours et chanson

Les poètes du Moyen Age ont pratiqué deux manières assez différentes d'utiliser les vers.

Ou bien on se sert de vers d'un seul type, par exemple des octosyllabes, ou des décasyllabes, et les rimes sont plates. On pourrait, comme Ronsard, appeler cette forme « discours ».

L'autre moyen d'utiliser les vers consiste à mélanger différents modèles de vers et différentes dispositions de rime. En hommage aux troubadours au Moyen Age, cette forme apparaît presque toujours accompagnée d'une mélodie.

Un schéma de répartition des modèles de vers et des rimes étant donné, ce schéma se répète. Voici un exemple de chanson en deux strophes composée par Marot, et mis en musique par Claudin de Sermisy.

Tant que vivrai en âge florissant,
Je servirai Amour, le dieu puissant,
En faits, en dits, en chansons et accords.
Par plusieurs jours m'a tenu languissant,
Mais après deuil m'a fait réjouissant,
Car j'ai l'amour de la belle au gent corps.
Son alliance,
C'est ma fiance :
Son cœur est mien,
Le mien est sien.
Fi de tristesse,
Vive liesse
Puisqu'en amours j'ai tant de bien !

On peut vérifier que les décasyllabes du début sont articulés en deux parties : l'une de quatre syllabes, l'autre de six. Suivent six vers de quatre syllabes : il faut prononcer « alli-ance » et « li-esse », comme on a prononcé « réjouis-sant » au vers 5 ; le « i » et le « ou » notent ici des voyelles, contrairement à l'usage moderne. Le dernier vers est un octosyllabe.

Si on désigne chaque finale par une lettre, il est commode de résumer comme suit la forme de la strophe :

type de vers	10	10	10	10	10	10	4	4	4	4	4	4	8
rime	*a*	*a*	*b*	*a*	*a*	*b*	*c*	*c*	*d*	*d*	*e*	*e*	*d*

On peut vérifier que la seconde strophe obéit au même schéma :

Quand je la veux servir et honorer,
Quand par écrit veux son nom décorer,
Quand je la vois et visite souvent,
Ses envieux n'en font que murmurer ; *(envi-eux)*
Mais notre amour n'en saurait moins durer :
Autant ou plus en emporte le vent.
Malgré envie,
Toute ma vie
Je l'aimerai
Et chanterai.
C'est la première,
C'est la dernière,
Que j'ai servie et servirai.

D'une strophe à l'autre, les rimes n'ont pas la même sonorité. Le premier vers se termine en « -sant » dans la première strophe, en «-rer » dans la seconde. Mais toujours il rime avec le second, le quatrième et le cinquième vers.

On remarque aussi que se trouvent au même endroit (vers 7,

8, 11 et 12) les finales comportant un « *e* » caduc. Soit dit entre parenthèses, l'expression « *e* muet », très répandue, est un peu gênante, puisqu'elle sert à désigner une lettre qui, éventuellement, se prononce. « E caduc » est plus précis. Ronsard disait « *e fuitif* ».

On prononçait sans doute le « *e* » à la fin d'« alliance », de « fiance », de « envie », de « vie ». En tout cas, on le prononçait en chantant, comme encore aujourd'hui. Dans le «Gar(e) au gorille ! » de Brassens, on entend clairement le « *e* » final, qui a droit à une note pour lui tout seul.

Traditionnellement on appelle « féminines » les terminaisons de mots qui comportent un « *e* » caduc, et « masculines » celles qui n'en comportent pas. Il faut éviter de confondre cette notion avec la notion grammaticale de genre. La terminologie est gênante. On dit « féminines » les terminaisons de mots comme « maître », « domicile », « impie », qui sont masculins ; « masculines, celles des mots comme « jument », qui sont féminins. On dit « féminines » ou « masculines » les terminaisons de verbes, d'adverbes, de prépositions, qui n'ont pas de genre grammatical : « chanter », « chantais » ont une terminaison masculine ; « chante », « chantasse », une terminaison féminine.

Du point de vue de la musique, cette différence est très importante. Beaucoup de chansons populaires sont construites sur une simple opposition entre vers, souvent non rimés, à finale féminine, et vers, plus souvent rimés, à finale masculine.

Dans les jardins d'mon père
Les lilas sont fleuris.
Tous les oiseaux du monde
Vienn'nt y faire leur nid.

La finale masculine donne une impression de conclusion, la finale féminine, une impression de suspens. Musicalement parlant, on observe que les voyelles pleines : [ɛ] de p*è*re, [õ] de m*on*de, [i] de fleuris et nid, tombent sur les temps forts, alors que les « *e* » tombent sur un temps faible.

Dans le discours, on pourrait négliger la différence entre finales masculines et féminines ; les finales sont distribuées au hasard. Dans la chanson, il faut prévoir la distribution de deux types de finale. Il faut donc améliorer le schéma proposé plus haut en ajoutant une apostrophe qui indiquera les rimes féminines. Donc :

type de vers	10	10	10	10	10	10	4	4	4	4	4	4	8
rime	*a*	*a*	*b*	*a*	*a*	*b*	*c'*	*c'*	*d*	*d*	*e'*	*e'*	*d*

Ballade et rondeau

La multiplication d'une même sonorité à la rime est ce qui donne à la chanson médiévale son allure particulière. Elle est de rigueur dans une forme très répandue à la fin du Moyen Age : la ballade (qu'il ne faut pas confondre avec la ballade romantique, petit poème narratif dont la forme n'est pas fixée). La ballade comprend trois strophes de huit octosyllabes ou de dix décasyllabes, suivies d'une demi-strophe appelée « envoi ». Le schéma des rimes est *ababbcbc* dans la variante en octosyllabes et *ababbccdcd* dans la variante en décasyllabes. Mais toutes les strophes sont construites, comme on dit, sur les mêmes rimes, c'est-à-dire sur les mêmes sonorités. Voici comment commencent les trois strophes de la célèbre *Ballade des dames du temps jadis*, de Villon :

1. *Dites-moi où, n'en quel pays*
   Est Flora, la belle Romaine (...)
2. *Où est la très sage Héloïs*
   Pour qui fut châtré et puis moine[1] *(...)*
3. *La reine Blanche comme lis*
   Qui chantait à voix de sirène (...)

La finale en « -is » est répétée six fois tous au long du poème, et la finale en « -ène », quatorze fois (quatre fois dans chaque strophe, et deux fois dans l'envoi).

Le rondeau, autre forme très répandue à la fin du Moyen Age, joue également sur un petit nombre de sonorités, en principe deux pour un poème qui peut compter dix vers ou plus, selon les variantes.

Rondeau et ballade n'ont jamais disparu. On a continué à en composer, le plus souvent par jeu archaïsant. Écrire un rondeau, c'est évoquer, avec un peu de nostalgie, le bon vieux temps. Telle est la signification que ces formes poétiques avaient acquises au XIXe siècle, et même dès le XVIIIe, qu'elles n'avaient évidemment pas à l'époque de Villon et de Marot.

---

1. Prononcez "mouène" [mwɛn].

Rondeau et ballade sont remarquables par un autre trait qu'ils ont en commun : le refrain. Toutes les strophes de la *Ballade des dames du temps jadis* se terminent par :

Mais où sont les neiges d'antan ?

Un rondeau illustre de Charles d'Orléans dit trois fois :

Le temps a laissé son manteau.

Cette construction répétitive a gêné Ronsard et ses amis, qui souhaitaient que dans un poème la pensée progresse, par déduction, opposition, argumentation. La poésie rhétorique à la manière de l'Antiquité ne s'arrange pas du refrain. Du Bellay méprise les formes fixes du Moyen Age, les qualifie d'« épiceries ». Une nouvelle époque commence vers 1550.

3. Le système classique

Règle de l'alternance dans les rimes

La plus ancienne des règles classiques apparaît au milieu du XVIe siècle, en grande partie à l'initiative de Ronsard. Il s'agit bien d'une règle contraignante, comportant interdiction, puisque le poète, lorsqu'il réédite ses premières œuvres, corrige ou élimine celles d'entre elles qui ne s'y plient pas.

Cette règle impose, dans tous les types de poésie, l'alternance des rimes masculines et féminines. Dans le discours en rimes plates, on aura toujours *aab'b'ccd'd'*... ou *a'a'bbc'c'dd*... N'importe quelle tragédie classique pourrait être citée ici comme exemple, aussi bien qu'une épopée, une épître, une satire ou une élégie.

La règle s'applique aussi dans les poèmes en chanson. Les rimes croisées auront toujours la forme *ab'ab'cd'cd'*... ou la forme *a'ba'bc'dc'd*...

Pour les rimes *embrassées* ne sont également possibles que deux schémas : *a'bba'cd'd'c*... ou *ab'b'ac'ddc'*...

Aucun autre schéma ne peut être envisagé ; la troisième rime n'intervient que lorsque les deux premières ont été complètement réalisées. En d'autres termes, il faut exclure des schémas comme *abc abc*, formule habituelle en Italie dans les tercets du sonnet.

Il est vrai que les poètes français, au Moyen Age, n'aimaient guère mettre en jeu plus de deux rimes à la fois. La loi nouvelle de l'alternance renforce les effets de cette répugnance.

La seule liberté possible est alors de faire apparaître des rimes triples, selon des schémas comme *aab'ab'*, *ab'b'ab'* ou d'autres plus complexes, par exemple celui qui apparaît dans *Les Djinns* de V. Hugo : *a'ba'bc'c'c'b.*

Si l'on met à part cette solution, il apparaît que la poésie sera dès lors dominée par le quatrain. Le quatrain de rimes plates s'impose comme l'unité métrique la plus importante qui se rencontre dans le discours. L'allure particulière de la poésie classique tient en grande partie à ce trait-là.

Le quatrain domine dans la nouvelle forme fixe à la mode, que Ronsard et ses amis empruntent aux Italiens (Marot avait très timidement donné l'exemple) : le sonnet. Non seulement les deux premières strophes sont des quatrains à rimes embrassées qui (souvenir médiéval) jouent sur deux sonorités : *ab'b'aab'b'a*, ou l'inverse ; mais encore les deux tercets sont réinterprétés comme un distique à rimes plates suivi d'un quatrain à rimes croisées ou embrassées : *c'c'de'de'* ou *c'c'de'e'd*, avec leurs inverses.

On remarque aussi que, dès la fin du XVIe siècle, se multiplient les poèmes dont la strophe est constituée par un quatrain à rimes croisées ou embrassées. La célèbre *Consolation* de Malherbe est un exemple entre mille :

Ta douleur, Du Perrier, sera donc éternelle,
Et les tristes discours
Que te met en l'esprit l'amitié paternelle
L'augmenteront toujours ?

Notons enfin la fréquence, à l'époque classique, d'une forme de strophe, généralement traitée en octosyllabes, et qui a pour schéma de rimes *abbaccdede*, c'est-à-dire deux quatrains à rimes embrassées ou croisées de part et d'autre d'un distique à rimes plates. On trouve un schéma analogue, *ababccdeed*, jusque chez V. Hugo qui, dans *Les Mages*, l'utilise sur plus de soixante strophes.

La concordance entre mètre et syntaxe

Imposée surtout par l'autorité de Malherbe, au début du XVIIe siècle, cette règle de première importance n'est formulée dans les traités que par un détour assez modeste : l'interdiction de l'enjambement. Mais cette interdiction n'est qu'un cas particulier. Il faut voir les choses de plus loin.

Il faut d'abord considérer la hiérarchie des unités métriques qui, s'incluant successivement, composent le poème : *hémistiche* (ou moitié de vers, dans le cas des vers composés comme l'alexandrin), *vers, distique* (ensemble de deux vers, liés par la rime dans le cas de poème à rimes plates), *quatrain, strophe* (dans le cas de la forme chanson).

On peut, de la même façon, mais dans un tout autre domaine, étudier la hiérarchie des unités syntaxiques qui constituent un texte quelconque, les plus importantes incluant les moins importantes : mot, groupe de mots, proposition, phrase, groupe de phrases.

La mélodie propre à la poésie classique vient de ce que les poètes se sont préoccupés, autant qu'il était possible, de faire coïncider ces deux hiérarchies.

Le phénomène peut être aperçu d'une autre manière, par l'étude des pauses que commande la syntaxe et que note, en partie, la ponctuation. Dans un texte classique, les pauses syntaxiques coïncident, dans l'ordre de leur importance, avec les césures, les fins de vers, les fins de distique, les fins de quatrains, les fins de strophe.

Mais la contrainte ne s'exerce pas toujours avec la même rigueur. Le parallélisme syntaxique entre deux hémistiches ou entre deux vers réalise la concordance la plus étroite que l'on puisse imaginer. Il arrive à l'inverse que la phrase déborde le quatrain ou s'installe à cheval sur deux distiques. De la même façon, la césure peut coïncider avec une pause plus ou moins nette. C'est dans ces limites assez étroites que s'exerce l'art de la variaton. Toute une musique verbale se construit sur les constrastes entre les passages où la concordance est rigoureuse et ceux où elle est moins marquée ; et les nuances sont innombrables.

Ce qui vient d'être dit du discours à rimes plates est également valable pour les poèmes composés en strophes.

Quant au célèbre enjambement qui inquiétait tant Malherbe, il pourrait être décrit en termes de pauses. Voici un exemple emprunté au *Discours contre Fortune* de Ronsard :

Mais l'extrême regret qui plus le cœur me presse,
C'est qu'il faut qu'à tous coups, tous les jours et sans cesse,
Je vous sois importun. Or, comme généreux,
Vous savez que l'esprit de l'homme est désireux
D'acquérir de l'honneur, et ardant de se faire
Apparaître en crédit dessus le populaire.

Au troisième vers, la pause qui se trouve à la césure est nettement plus forte que celle qui termine le vers. La hiérarchie n'est pas respectée. Il en va de même au cinquième vers. Le découpage syntaxique met en évidence deux groupes attributs du sujet :

désireux / d'acquérir de l'honneur

et

ardant de se faire / apparaître en crédit dessus le populaire

(c'est-à-dire : brûlant de se faire estimer de la foule). Le premier de ces groupes est à cheval sur deux vers, et la pause qui se trouve à la césure, entre « honneur » et « et ardant » est plus forte que celle qui termine le quatrième vers, après « désireux ». Dans ce quatrième vers, la césure apparaît entre « l'esprit » et « de l'homme » ; aucun des deux hémistiches n'est un groupe syntaxique complet.

La syntaxe ne se moule pas sur la métrique. Dans ce trait, qui donne aux discours de Ronsard leur allure particulière, Malherbe voyait une désinvolture, une négligence inadmissibles. Et Boileau le loue d'avoir imposé aux poètes ce qu'il appelle « une juste cadence ».

Il ne faut pas oublier que, formés à la rhétorique, les écrivains et amateurs de cette époque-là percevaient une phrase comme une mélodie, qui s'élève, culmine, et retombe ; ils avaient appris à varier la hauteur et la force de leur voix.

C'est la raison pour laquelle la règle de la concordance entre mètre et syntaxe a une telle importance. C'est pour ainsi dire une règle musicale.

Elle est aussi liée aux valeurs les plus hautes de l'esthétique classique : régularité, symétrie, égalité des éléments de même rang ; pour tout dire : ordre. La notion de concordance se retrouve ailleurs : on souhaite que l'expression ne dépasse pas la pensée, lui corresponde exactement ; on reproche aux précieux et aux précieuses de donner le pas à celle-là sur celle-ci, d'employer des mots trop nombreux et trop riches pour dire des choses trop simples ; l'excès d'ornements paraît redoutable. Dans un autre domaine, on confond lettre et son ; les doctes, et notamment les théoriciens du vers, se refusent à reconnaître que les graphies traditionnelles (il n'est pas encore vraiment question d'orthographe) ne correspondent pas à la réalité de la langue telle qu'elle se parle.

Toutes ces valeurs se retrouveront lorsqu'il faudra examiner les petites règles de versification. Mais avant de parler d'hiatus et de diérèse, il faut évoquer une question beaucoup plus importante, celle des vers appelés, à l'époque, « vers libres » ou « vers mêlés ».

Les vers mêlés

L'expression « vers mêlés » est évidemment préférable à celle de « vers libres » pour désigner une forme poétique bien connue de quiconque a lu au moins une fable de La Fontaine. Depuis la fin du XIXe siècle, « vers libre » a reçu un sens nouveau.

Écrire en vers mêlés, c'est utiliser des modèles traditionnels de vers (alexandrin, décasyllabe, etc.) et les schémas classiques de rimes (plates, croisées,embrassées), mais sans s'astreindre à la moindre régularité dans leur distribution. *Le Corbeau et le Renard* commence par un quatrain de décasyllabes et d'octosyllabes alternés en rimes croisées :

10 8 10 8
a b' a b'

disposition qui ne se retrouvera plus dans la suite de la fable.

Du point de vue du lecteur, un poème en vers mêlés est imprévisible. Tout peut se produire, aussi bien des régularités partielles qu'une constante irrégularité.

Les vers mêlés, mis à la mode au milieu du XVIIe siècle, ont été utilisés jusqu'à l'époque romantique : on en trouve chez Lamartine et chez Musset. L'esthétique classique les réservait aux genres mineurs : poésie légère, livrets d'opéras ; Corneille a essayé de les introduire dans le théâtre sérieux, et les a utilisés dans sa poésie religieuse. Voici un fragment de la *Psyché* qu'il a écrite en collaboration avec Molière, Quinault et Lulli. Psyché parle au dieu Amour, dont elle ignore l'identité.

A peine je vous vois, que mes frayeurs cessées
Laissent évanouir l'image du trépas,
Et que je sens couler dans mes veines glacées
Un je ne sais quel feu que je ne connais pas.

5. *J'ai senti de l'estime et de la complaisance,*
De l'amitié, de la reconnaissance ;
De la compassion les chagrins innocents
M'en ont fait sentir la puissance :
Mais je n'ai point encor senti ce que je sens.
10. *Je ne sais ce que c'est, mais je sais qu'il me charme,*
Que j'en conçois point d'alarme.
Plus j'ai les yeux sur vous, plus je m'en sens charmer.
Tout ce que j'ai senti n'agissait point de même ;
Et je dirais que je vous aime,
Seigneur, si je savais ce que c'est que d'aimer
(Acte III, sc. 3).

A un quatrain d'alexandrins en rimes croisées, succède un groupe de cinq vers rimés *a'a'ba'b* et mesurés 12 10 12 8 12. Les six derniers vers pris ensemble offrent une construction symétrique : deux fois un octosyllabe est entouré par deux alexandrins ; deux vers en rimes plates, puis un quatrain à rimes embrassées.

On pourra dire que ces vers sont réguliers, en ce sens qu'ils obéissent aux règles classiques ; on pourra vérifier que les alexandrins et le décasyllabe ont la césure requise ; les esprits chagrins pourront s'assurer que l'hiatus est absent et la graphie des rimes conforme à ce qu'elle doit être.

Dans un tout autre sens du mot, on pourra dire que ces vers sont irréguliers : les types de vers, les schémas de rimes ne reviennent pas de façon régulière.

Soit dit en passant, les théoriciens et les critiques ont bien souvent confondu les deux sens du mot « régulier » et, pour cette raison, supposé qu'il n'y avait pas de poésie possible en dehors des répétitions, similitudes, équivalences et symétries.

Dans le fragment cité, on observe des régularités partielles : la fin du fragment s'organise comme la répétition d'un tercet ; l'organisation des rimes y est la même qu'à la fin d'un sonnet ou dans une forme de strophes très appréciée jusqu'à l'époque romantique (on la trouve dans *Oceano Nox*, de V. Hugo). Ces six vers tendent à s'organiser en deux ensembles de trois vers, sur lesquels Corneille modèle la syntaxe.

On pourrait en effet sans peine soumettre ce texte à une analyse semblable à celles qui ont été appliquées sur un discours tragique et sur un poème en strophes : la concordance entre métrique et syntaxe est partout recherchée. On observe que le vers 9 est syntaxiquement isolé. L'étude des rimes a montré que ce vers rompt la succession des quatrains ; il est comme en surnombre ; il aura donc droit, pour lui tout seul, à une phrase en opposition à ce qui précède :

Mais je n'ai point encor senti ce que je sens.

Comme dans le discours ou le poème en strophe, la contrainte s'exerce de manière plus ou moins forte.

De toute façon, il n'existe aucune raison pour poser en principe que toute discordance entre mètre et syntaxe doit être mise en relation avec le sens du texte. L'exemple proposé est exceptionnel parce qu'il propose à la fois une discordance, et une possibilité de justification de cette discordance.

Soit dit entre parenthèses, il en va de cet exemple comme d'un illustre vers de Racine, un fauteur de trouble qui a beaucoup sévi :

Pour qui sont ces serpents qui sifflent sur vos têtes ?

D'innombrables manuels donnent ce vers comme un exemple d'allitération, à juste titre : la fréquence des « s » est, de fait, étonnante. Il est admis que les serpents sifflent, et, en sifflant, font « s ». Donc l'allitération est justifiée par sa correspondance avec un élément du sens (et non, comme on dit trop vite, avec le « le » sens ; le sens du vers n'est pas : les serpent sifflent ; le sens est : *pour qui* vos serpents ?).

Se fiant à cet exemple, une foule de lecteurs a cru que toute allitération devait entretenir un rapport avec le sens du texte. Un cas particulier, une coïncidence (voulue, sans doute, mais non nécessaire) ont été indûment transformés en loi générale.

De la même façon on aurait tort de croire que, parce qu'un lièvre a fait un saut prodigieux à travers la fin d'un vers, tout enjambement doit être mis en relation avec le sens du texte.

Pour en revenir aux vers mêlés, leur usage peut osciller entre des réalisations très strictes de la concordance et des réalisations beaucoup plus souples. Les poètes s'y entendent à ménager des contrastes.

Dans certains cas, ils ménagent aussi des contrastes entre les différents genres de poésie. Déjà au Moyen Age on rencontre plusieurs exemples de poèmes en discours où sont enchâssées des chansons. La tragédie classique, à ses débuts, aimait les monologues en stances, c'est-à-dire en poèmes strophiques. Il a toujours été d'usage de composer en vers mêlés les écrits cités dans une tragédie : lettre d'un personnage, réponse d'un oracle, parole divine. Dans son roman, *Les Amours de Psyché et de Cupidon,* La Fontaine intercale dans la prose tantôt des discours en vers, tantôt des poèmes en strophes, tantôt des vers mêlés.

Chacune de ces formes a, pour ainsi dire, sa couleur propre ; et l'art classique, si sévère soit-il, ne déteste pas le mélange des couleurs. Il est bon de le rappeler avant d'en venir à l'examen de certaines mesquineries.

Les petites règles

Du point de vue du lecteur moderne, il convient de distinguer deux genres de règles : celles qu'il faut connaître pour lire convenablement des vers, et celle qu'on peut ignorer, à moins qu'on ne prétende fabriquer soi-même des vers classiques (quelle idée !).

Pour lire des vers classiques, il faut prendre garde à deux points : la diérèse et le traitement du *e* caduc.

A vrai dire, il n'existe aucune raison de considérer comme une règle la pratique de la diérèse. Il s'agit plutôt d'un fait de prononciation. Jusqu'à la fin du XIXe siècle, on a gardé l'habitude de prononcer, quand on faisait des vers, « délicieux » en quatre syllabes et « souhaiter » en trois. Pour le dire avec plus de rigueur, dans un certain nombre de mots dont la graphie comporte un [i], un « ou » [u] ou un « u » [y], l'usage ancien faisait correspondre à ces lettres (ou groupe de lettres) des voyelles qui se sont transformées en semi-consonnes dans l'usage moderne.

Corneille ayant écrit :

De la compassion les chagrins innocents,

le lecteur se rend compte qu'il faut prononcer « compassi-on », en quatre syllabes, pour que l'hémistiche ait les six syllabes requises et pour que l'alexandrin ne boîte pas. Le lecteur se rend compte que Corneille, et tous ses contemporains, prononçaient « compassi-on ». Peut-être faut-il insister : il ne dépend pas du caprice d'un poète de faire ou d'éviter la diérèse sur un mot donné. Il existe une liste de mots que l'on prononce avec diérèse. En principe, un lecteur consciencieux doit apprendre cette liste ; il fera beaucoup mieux de lire des vers par milliers, à voix haute, et de s'accoutumer au rythme de l'alexandrin. Il saura vite à quoi s'en tenir sur les mots en « ti-on », en « i-eux », et quelques autres. Et l'idée ne lui viendra plus de chercher une diérèse sur

« pied », « ciel », « nuit » et tant d'autres mots qui ne l'ont jamais connue.

Le cas du « *e* » caduc est très différent. Encore aujourd'hui la graphie de tous les mots où apparaît un « *e* » (lorsque cette lettre ne fait pas partie d'un groupe comme « en », « eu », « es » et autres, destinés à noter un seul son vocalique) pose des problèmes de prononciation. Selon les locuteurs et les circonstances, une phrase aussi simple que : « je te le dis » peut comporter deux, trois ou quatre consonnes.

La poésie populaire a toujours traité la question avec une grande liberté.

Sont les fill's de La Rochelle.

Et plus loin dans la même chanson :

N'ai perdu ni pèr' ni mère
Ni aucun de mes parents.

Pourquoi élider (c'est-à-dire ne pas prononcer) certains « *e* », pourquoi en prononcer d'autres ? C'est affaire de commodité.

Il n'en allait pas de même autrefois. L'usage, pour la prononciation du « *e* » caduc devait ressembler à ce qu'il est aujourd'hui dans certaines régions du Midi. C'est cet usage que la versification classique a codifié et maintenu jusqu'à la fin du XIXe siècle. La règle est simple : un « *e* » caduc se prononce quand il est suivi d'une consonne ; il s'élide quand il est suivi d'une voyelle.

La règle s'applique mécaniquement, sans aucun égard aux pauses. En fin de vers, on ne compte pas le « *e* ». Cela ne veut pas dire qu'il est interdit de la prononcer, si on peut.

La majorité des Français, aujourd'hui, éprouve en effet les plus grandes difficultés à prononcer cet « *e* » devant un silence. Il faudra ne pas perdre de vue ce détail quand sera abordée sérieusement la question de la césure.

Les modernes élident le « *e* » en toute position, que le mot suivant commence par une consonne ou par une voyelle. Éluard écrit, en octosyllabes :

Le ciel est clair la terre est sombre
Mais la fumée s'en va au ciel
Le ciel a perdu tous ses feux
La flamme est restée sur la terre

(*Derniers Poèmes d'amour*, Paris, Seghers, 1967).

Le « *e* » de « fumée » et de « restée » ne semble pas l'inquiéter beaucoup.

Au Moyen Age, dans cette position, le « *e* » se prononçait généralement. Ronsard écrit encore :

Marie, levez-vous ; vous êtes paresseuse.

Il faut dire : « Mari-e », en trois syllabes. Mais il arrive aussi à Ronsard de négliger ce « *e* » après voyelle.

Les théoriciens classiques ont imposé l'élision de ce « *e* ». Si donc un poète a écrit un mot comme « joie », « pluie », il doit s'arranger pour que le mot suivant commence par une voyelle. « Que ma joie demeure » ne peut pas figurer dans un vers classique. Si un poète a écrit « joies », il ne peut rien faire. Il devrait en effet élider le « *e* », puisqu'il se trouve après voyelle, et ne peut pas l'élider, puisqu'il se trouve avant consonne. Il refera son vers. Et s'il tient au mot « joies », au pluriel, il le mettra à la fin d'un vers, où tout est possible.

Les théoriciens ont agi comme s'ils n'avaient pas voulu admettre que la graphie du français est historique ; ils auraient, semble-t-il, préféré qu'elle fût entièrement rationnelle. Ils ont tout de même dû remarquer que leur pusillanimité les avait poussés à formuler une règle impraticable : tous les verbes se trouvaient amputés ; on ne pouvait pas dire : « chantaient », « chanteraient ». Il a fallu faire une exception.

Quant au *hiatus*, c'est-à-dire la rencontre d'une voyelle à la fin d'un mot (le « *e* » caduc n'est évidemment pas pris en cause) et d'une voyelle au début du mot suivant (« amadou allumé », « fou à lier », « enragé, entêté, ivre »), il est interdit.

L'idée de proscrire toute espèce d'hiatus (Ronsard s'était contenté de noter que certains hiatus peuvent paraître gênants) relève d'une obsession toute classique pour la continuité : il faut que le vers soit d'un seul tenant, ne comporte pas de trous (c'est ce que veut dire « *hiatus* » : baîllement, fissure) , de même qu'un acte de tragédie doit avoir une unité de liaison ; le plateau ne doit jamais rester vide entre deux scènes.

Dans les règles qui régissent les rimes, on retrouve le respect scrupuleux d'une graphie pourtant non rationnelle : on ne peut pas faire rimer « coup » avec « tout », « amant » avec « sang ». On ne peut pas faire rimer un singulier avec un pluriel.

Les traités décrivent dans le plus grand détail toutes ces chinoiseries. Ils dissertent aussi à perte de vue sur les rimes riches, pauvres et suffisantes, qui obsèdent, pour leur malheur, tant d'étudiants et de maîtres.

Il suffit de savoir ceci : quand un mot se termine par un son vocalique, les classiques préfèrent le faire rimer avec un mot qui présente non seulement la même voyelle, mais encore, juste avant, une consonne identique. On aimera mieux faire rimer « tomber » avec « enjamber » ou « dérober » qu'avec « monter » ou « avancer ». Mais La Fontaine fait rimer, dans le fragment cité plus haut, « vit » et « fit ». Il arrive à Racine d'en faire autant.

La césure

Il faut le rappeler : la césure ne se rencontre que dans les vers de dix et de douze syllabes. Dans ce qui précède elle a été présentée de manière vague : on s'est contenté d'indiquer son emplacement dans l'un et l'autre de ces modèles de vers. Il est maintenant possible d'être plus précis.

D'abord la césure n'est pas une coupe, comme on l'a trop dit. Ce n'est ni une pause, ni un arrêt, ni un silence. Il se trouve que les poètes classiques s'efforcent de la faire coïncider avec la pause la plus forte qui se trouve à l'intérieur du vers. Mais il s'agit d'une coïncidence entre deux phénomènes de nature différente.

Lorsqu'il arrive que la pause la plus forte du vers ne se trouve pas à la césure, on observe toujours, chez les classiques :

– que la sixième syllabe de l'alexandrin ne comporte pas de « *e* » prononcé ;

– que la sixième et la septième syllabe de l'alexandrin n'appartiennent jamais au même mot.

Le même phénomène apparaît à la quatrième syllabe du décasyllabe.

Ces deux particularités suffisent à définir la césure. On s'aperçoit qu'elles sont rigoureusement observées jusqu'à la fin du XIXe siècle, jusqu'à la « crise de vers », même lorsque les poètes construisent une énorme discordance entre mètre et syntaxe. Racine, faisant le clown dans ses *Plaideurs*, respecte la césure dans la harangue grotesque qu'il prête à un avocat de rencontre. Le juge dit :

Reposez-vous,

Et concluez.

L'avocat enchaîne :

Puis donc / qu'on nous permet de prendre
Haleine et que l'on nous / défend de nous étendre,
Je vais, sans rien omettre / et sans prévariquer,
Compendieusement / énoncer, expliquer,
Exposer à vos yeux / l'idée universelle
De ma cause, et des faits / renfermés en icelle.

La ponctuation, volontairement bizarre, de l'original, a été ici modifiée (Racine avait mis une virgule après chaque mot, ou presque), et les césures notées par une barre oblique. On voit que plusieurs d'entre elles ne correspondent à aucune pause syntaxique, mais que la définition donnée plus haut est partout vérifiée.

De cette définition découle une constation simple. *La sixième syllabe de l'alexandrin est toujours la dernière syllabe d'un mot.* Si ce mot a une terminaison féminine, au sens qui a été indiqué plus haut, il faut que l'élision ait lieu. Si un poète a écrit :

Oui, je viens dans son temple

il faut que le mot suivant commence par une voyelle. Racine écrit :

adorer l'Éternel.

Des sondages, même rapides, suffisent à montrer que les poètes, en général, se méfiaient, et préféraient terminer sur une finale masculine les premiers hémistiches de leurs alexandrins.

Puisque *la sixième syllabe ne peut pas comporter de « e » prononcé*, elle est *toujours accentuée*. L'accent tonique existe en effet en français, comme en anglais, en allemand, en espagnol ou dans d'autres langues. Il frappe la dernière syllabe de mots et produit trois effets, difficilement repérables dans la conversation courante, mais parfaitement audibles dans la déclamation ou la diction lente : la syllabe accentuée est prononcée avec plus d'*intensité* que les autres ; elle a souvent une *durée* plus grande ; elle est souvent plus *haute* ou, en fin de phrase, plus *basse*, que celle qui précède.

Ce phénomène est compliqué lorsque le mot se termine par un « *e* » prononcé ; la syllabe accentuée est alors suivie d'une syllabe qui ne l'est pas, ou syllabe atone. En désignant par ÷ la syllabe accentuée et par - la syllabe atone, on peut écrire que les mots français appartiennent à l'un ou l'autre de ces modèles rythmiques :

(- - -) ÷ et (- - -) ÷ -
assurément irréparable , par exemple.

Il avait déjà été noté, plus haut, que les musiciens accordaient la plus grande importance à l'opposition entre finales masculines et féminines. Nombre de poètes, aujourd'hui encore, sont intéressés par les effets qu'on peut tirer de cette opposition.

A la césure de l'alexandrin classique, on ne rencontre pas de finale féminine audible. Le « *e* » caduc, s'il existe, doit être élidé, et élidé dans les règles : il faut que le mot suivant commence par une voyelle. La césure, par elle-même, n'autorise aucune élision exceptionnelle.

Ainsi se réalise, une fois encore, la continuité du vers.

Mais, puisque la césure ne suit pas un « *e* » prononcé, puisque la pause la plus importante du vers a lieu à la césure, le diseur a rarement l'occasion de prononcer devant un silence la finale féminine dont il a été question. Il en ira bien autrement quand les poètes se mettront à cultiver la discordance entre mètre et syntaxe. Comment dire ces vers de Baudelaire ?

Et de longs corbillards, sans tambour si musique,
Défilent lentement dans mon âme ; l'Espoir,
Vaincu, pleure, et l'Angoisse, atroce, despotique,
Sur mon crâne incliné plante son drapeau noir.

Il faut prononcer le « *e* » qui termine « âme » et « atroce », mais non celui qui termine « pleure » ou « angoisse ».

Tout se tient dans le système classique. La règle du « *e* » caduc s'applique sans bizarrerie lorsque la concordance est recherchée entre le mètre et la syntaxe. La césure, dans les mêmes conditions, est une composante essentielle de l'alexandrin, ou du décasyllabe. Elle doit, aussi souvent que possible, se soumettre à une fin de vers que marque une rime facile à repérer.

Ce système inclut des principes de diction : la voix doit monter légèrement depuis le début du vers jusqu'à la césure, descendre ensuite en précipitant un peu le débit. Mille nuances sont possibles, mais cessent de le devenir quand on fait dire à une comédienne :

Serait-ce déjà lui ? C'est bien là l'escalier
Dérobé.

L'enjambement qui commence *Hernani* (et dont la justification sémantique fait l'objet d'une interrogation désespérée) compromet un équilibre séculaire, et annonce la crise de vers, c'est-à-dire la catastrophe.

4. La dislocation du système classique

Le mot « dislocation » a été suggéré par Victor Hugo, dans ce vers célèbre :

J'ai disloqué ce grand niais d'alexandrin.

Du point de vue de la métrique, ce vers a une césure : entre « grand » et « niais ». Du point de vue syntaxique, il présente une coupe possible, entre le groupe du verbe et celui du complément direct, entre « disloqué » et « ce grand niais ». La discordance est patente.

Les historiens ont accordé une telle importance à ce vers qu'ils ont fini par oublier un fait pourtant incontestable : la versification des poètes romantiques est en général tout à fait classique. Toutes les règles sont observées, y compris la définition de la césure telle qu'elle a été donnée, y compris la concordance entre mètre et syntaxe.

Si Hugo peut lancer le vers qui vient d'être cité, dans un poème qui date de 1854 et que, pour des raisons de mythologie personnelle, il déclare composé vingt ans plus tôt, c'est à cause de quelques audaces qui se trouvent dans son théâtre.

Vous voudrez, pour forcer ma vengeance à se taire,
Me rendre au bourreau. Non. Vous ne l'oserez faire,
De peur que ce ne soit mon spectre qui demain
Revienne vous parler, – cette tête à la main !

(*Le Roi s'amuse*).

Le vers de théâtre doit, pense-t-on, se rapprocher de la conversation ; on l'assouplit un peu. Ou l'on écrit en prose.

Il n'est nullement question de nier la spécificité de la poétique romantique. Mais que l'on regarde les trois grands poèmes qui se trouvent au début des *Contemplations* : « Réponse à un acte d'accusation », « Suite » et « Quelques mots à un autre », il y est beaucoup plus question de vocabulaire et de stylistique que de versification. Et à bon droit. Quand on lit les poèmes qui s'écrivent dans la première moitié du siècle, on n'a pas l'impression qu'il soit nécessaire de consacrer un chapitre particulier à la versification romantique.

Recherches de discordances

C'est surtout à partir de l'exil que Victor Hugo s'est mis à étudier avec persévérance le parti qui pouvait être tiré de discordances entre le mètre et la syntaxe. Qu'on ne s'y trompe pas, en effet : Hugo n'a jamais cessé de construire, quand l'envie l'en prenait, des pages entières où la phrase se modèle sur le vers. Ses recherches sur la discordance ne se comprennent que par contraste avec les vers les plus classiques qu'il se garde bien d'interdire. Dans « Le Mendiant », poème des *Contemplations*, daté, lui aussi, pour la légende, de 1834, et composé vingt ans plus tard, on trouve juxtaposés des vers où la concordance va jusqu'au parallélisme et d'autres qui « saisissent la césure et la mordent », comme le dit « Quelques mots à un autre ».

C'était le vieux qui vit dans une niche au bas
De la montée, et rêve, attendant, solitaire,
Un rayon du ciel triste, un liard de la terre,
Tendant les mains pour l'homme et les joignant pour Dieu.
Je lui criai : « Venez vous réchauffer un peu.
Comment vous nommez-vous ? » Il me dit : « Je me nomme
Le pauvre ». Je lui pris la main : « Entrez, brave homme ».
Et je lui fis donner une jatte de lait.

Les recherches de Hugo sur la discordance ont été présentées par le petit bout de la lorgnette. A la notion d'enjambement, qui n'était pas claire, on a ajouté celle de rejet, qui s'en distingue mal, et celle de contre-rejet. On pourrait parler de contre-rejet quand se trouve, dans la seconde partie du vers, une pause plus forte que celle qui termine le vers. Par exemple :

Crois-tu que le tombeau, d'herbe et de nuit vêtu,
Ne soit rien qu'un silence ? Et te figures-tu
Que la création profonde, qui compose (contre-rejet)
Sa rumeur des frissons du lys et de la rose,
De la foudre, des flots, des souffles du ciel bleu,
Ne sait ce qu'elle dit quand elle parle à Dieu ?

(« Ce que dit la bouche d'ombre », in *Les Contemplations*).

Mais comment appeler ce qui se passe au second vers de ce fragment, où la pause qui se trouve à la césure est plus forte que celle qui termine le vers ?

Il y aurait rejet lorsque, dans la première moitié du vers, une pause est plus forte que celle qui termine le vers précédent. Par exemple :

Tout, comme toi, gémit, ou chante comme moi ;
Tout parle. Et maintenant, homme, sais-tu pourquoi
(rejet) *Tout parle ? Écoute bien. C'est que vents, ondes, flammes,*
Arbres, roseaux, rochers, tout vit !

(« Tout est plein d'âmes », *ibidem.*).

Mais comment désigner ce qui se passe au dernier vers de ce fragment : cette petite phrase qui occupe moins d'un hémistiche, et que la typographie distingue, selon un procédé inimaginable au XVIIe siècle, et aujourd'hui souvent utilisé ?

S'il fallait recenser et nommer tous les effets de la discordance, on n'en finirait pas. Il est certes plus utile de les étudier, mot à mot, sur un texte donné que de fabriquer un arsenal de néologismes.

Car il faudrait encore tenir compte des césures.

Au beau milieu du vers l'enjambement patauge.

Faudra-t-il inventer des rejets sur césure, des contre-rejets sur césure ?

On a beaucoup parlé autrefois d'un « trimètre romantique », dont on donnait (heureuse surprise !) un exemple emprunté à Corneille :

Toujours aimer, toujours souffrir, toujours mourir.

Ce vers comporte une césure classique, entre « toujours » et « souffrir ». Il comporte aussi, mais après la quatrième et la huitième syllabes, un phénomène en tout point semblable à la césure et qui, de plus, coïncide avec une pause syntaxique. De là à conclure qu'il existait un alexandrin partagé en trois parties égales, de quatre syllabes chacune, avec deux césures, il n'y avait qu'un pas qui a été franchi. De fait cet alexandrin existe ; mais, chez Hugo, il a toujours une césure classique ; et il est relativement rare.

Il est vrai que Hugo, Verlaine, Mallarmé, Rimbaud et quelques autres, dans la seconde moitié du XIXe siècle ont volontiers disposé les coupes en dehors de la césure (qu'ils conservaient généralement). Rimbaud écrit par exemple :

Tes haines, tes torpeurs fixes, tes défaillances.

Et Baudelaire :

Où dans la volupté pure le cœur se noie.

(*Mœsta et errabunda*).

Le premier vers peut recevoir le nom de « trimètre », dans un sens large : du point de vue de la syntaxe, il est composé de trois éléments ; mais ce qui se passe aux endroit indiqués par des virgules n'a rien à voir avec une césure. Il s'agit de jeux assez surprenants sur des finales féminines prononcées. Le second vers a un rythme très remarquable et très neuf : une pause légère avant « le cœur », avec une finale féminine ; la juxtaposition de deux syllabes accentuées, rendue plus audible par la présence de la césure ; « volup*té pu*re ». Mais ce n'est pas un trimètre.

Il est sans doute vain de s'obnubiler sur des cas trop particuliers. La grande poésie post-romantique et la grande poésie dite, abusivement, « symboliste » tiennent leur mélodie particulière de leurs jeux sur des formes classiques éventuellement très strictes qu'elles font alterner avec des discordances plus ou moins violentes. La diction de cette poésie devient acrobatique : faut-il suivre la syntaxe, faire comme si le texte était en prose, respecter les enjambements ? Alors pourquoi prononcer tous les « *e* » que prévoit la règle ? Faut-il dire en suivant la métrique ? On aboutit alors à un langage que beaucoup jugent artificiel. L'alexandrin a été disloqué pour se rapprocher de la prose ; c'est le résultat inverse qui semble avoir été obtenu. Mais tout le monde n'en est pas mécontent.

Assouplissements et subtilités

Avant que ne se déclenche la crise de vers, dans les années soixante-dix, les poètes semblent partagés entre deux soucis contradictoires : ou bien assouplir la technique poétique pour qu'elle fournisse un instrument d'expression plus docile ; ou bien la compliquer pour trouver de nouveaux procédés. Baudelaire invente le poème en prose. Verlaine se lance dans le vers de onze syllabes ou de treize, et expérimente dans tous les sens. Mais quelle est la signification exacte de l'alexandrin parodique qu'il risque dans *Fêtes galantes*, et dont Rimbaud, encore lycéen dans sa province, ne se remet pas :

Et la tigresse épouvantable d'Hyrcanie.

La césure devrait tomber entre « épou- » et « -vantable ». L'intention ironique ne fait aucun doute. Mais le plaisant est, en métrique, un lieu de recherches. Ce vers est-il un vers libéré, selon le mot des symbolistes ? Est-il au contraire un trimètre presque strict, effet d'une norme nouvelle ?

La question se pose encore aujourd'hui. Car, si le trimètre des théoriciens n'est pas fréquent chez Hugo, on le rencontre très souvent chez Éluard :

Notre printemps est un printemps qui a raison.
(*Derniers poèmes d'amour*, Seghers, 1967, p. 161).

Ou encore :

Tu es venue l'après-midi crevait la terre.
(*Ibid.*, p. 129)

L'ambiguïté dont ce vers est le signe, il faut dire tranquillement qu'elle se rencontre au cœur de la poésie classique la plus rigoureuse. En effet, quand on ne considère que les théoriciens et les manuels qu'ils ont inspirés, on est frappé par l'uniformité, la simplicité, et même la pauvreté du système, rançon de sa rigueur. Même si on oublie les erreurs d'analyse, dues à un développement insuffisant de la linguistique, même si on laisse de côté les mesquineries dont les romantiques se sont gaussés en les respectant, on a l'impression d'avoir affaire à un ensemble tellement strict qu'il ne laisse plus aucun choix. Dans la tragédie, si on termine un vers sur le mot « gloire », le suivant s'achèvera par « victoire », à peu près immanquablement.

Si on veut bien lire les poètes, tout au long, on se rend compte que ce qui était le plus important à leurs yeux, la correspondance entre unités syntaxique et unités métriques (ils ne le disaient pas en ces termes ; ils n'avaient peut-être pas de termes pour le dire), devait d'abord faire l'objet d'un jeu de variations. La contrainte devenait artistique si elle était modulée. Aussi ont-ils inventé ces vers qu'ils appelaient « libres » et que nous appelons « mêlés » comme ils le faisaient parfois aussi.

Le vers libre de style nouveau qui apparaît avec le symbolisme, peut-être faut-il le comprendre d'abord comme un objet esthétique, qui permet les variations.

La libération du vers

Rien ne semble plus clair, à première vue, que cette expression : la libération du vers. Dans les dernières années du XIXe siècle les poètes ont, en grand nombre, cessé de se soumettre aux contraintes traditionnelles. Ceux qui continuaient à éviter l'hiatus le faisaient de leur plein gré. Et l'époque n'était pas loin où les directeurs de revues ne pourraient plus, pour refuser un poème, invoquer les fautes de versification qui pouvaient s'y trouver.

Pour comprendre cette libération du vers, on disposait d'un modèle, qui a joué dans le mouvement symboliste un rôle souvent oublié : la chanson populaire. Tout au long de l'époque classique, il a existé, à côté de la poésie savante, une autre poésie, qui se chante partout. Le mot « populaire » pourrait tromper. En fait l'échange est constant entre le public des villages et celui des villes, entre les « faiseux de chansons » et les professionnels de la strophe rigoureuse. C'est le même répertoire que l'on entend à la campagne, dans les veillées, et à la ville, dans les rues, dans les ateliers, dans les maisons bourgeoises et nobles (d'où viennent les nourrices ?), pour ne rien dire des académies de peinture que fréquentent volontiers les poètes.

Or la chanson populaire utilise une métrique beaucoup moins contraignante que la poésie savante. Elle fait, comme on dit, « rimer » « Au clair de la lune » et « Prête-moi ta plume » (c'est en réalité une simple assonance). Elle n'a pas peur de l'*hiatus* : « Tu as le cœur à rire », ou elle l'évite par des liaisons ahurissantes : « J'ai-z-un coquin de frère ».

Les jeunes symbolistes ont pu croire que leur poésie, comme celle de la chanson populaire, ne gardait du système traditionnel que quelques obligations indispensables. Après eux, on est allé plus loin : on s'est affranchi de la rime, de la ponctuation.

Il ne faudrait pas croire que cette évolution a été progressive et générale. Certaines traditions se sont longtemps maintenues : Paul Valéry, l'un des plus jeunes symbolistes, écrit en vers classiques jusqu'à ses derniers jours. Certaines expériences sont restées sans lendemain. Aucune innovation ne s'est tout à fait généralisée.

L'idée d'une libération progressive du vers conduirait à dire que Rimbaud était en avance sur Valéry, ou Éluard en retard sur Claudel. Il n'est pas sûr que ce genre de propositions ait le moindre sens.

Ce serait une erreur que de vouloir présenter les versifications modernes en partant du système classique, avec l'espoir de montrer comment les défenses tombent les unes après les autres. Les versifications modernes ne sont pas d'abord un élargissement du système classique. C'est au contraire le système classique qui est un cas particulier à l'intérieur d'un ensemble dont les principes n'apparaissaient pas clairement aux doctrinaires.

L'expérience des symbolistes et de leurs successeurs a transformé la définition du vers, celle du rythme et le sens même de la technique en poésie.

La fin du code répressif

On n'accordera pas une importance énorme à la disparition de tous les petits interdits qui accompagnaient le système classique. « Juste ce qu'il n'importe d'apprendre », disait Mallarmé.

L'*hiatus* est désormais autorisé. On peut enfin écrire sans remords : « Il y a ».

Le « *e* » caduc derrière voyelle s'élide sans complications. On peut écrire :

Tu es venue le vœu de vivre avait un corps

On n'exige plus de ressemblances graphiques entre deux mots qui souhaitent rimer. On admet les assonances. On n'exige plus de rime du tout.

La prononciation archaïsante appelée « diérèse » n'est plus qu'un souvenir, avec lequel il arrive qu'on joue.

Les vers ont n'importe quelle longueur : on est parfois amené à les écrire sur deux lignes, voire plus :

Plaines ! Pentes ! Il y
avait plus d'ordre ! Et tout n'était que règnes et confins de lueurs. Et l'ombre et la lumière alors étaient plus près d'être une même chose... Je parle d'une estime... Aux lisières le fruit
pouvait choir
sans que la joie pourrît au rebord de nos lèvres.

(*Œuvres complètes*, La Pléiade, p. 25).

Ce fragment de Saint-John Perse compte quatre vers seulement.

Il y a pourtant un usage auquel semblent tenir nombre de poètes ; c'est celui qui consiste à prononcer le *e* caduc devant consonne. Mais il n'existe nulle obligation. Et l'on peut, si l'on veut, écrire, comme Queneau :

J'connaîtrai jamais le bonheur sur terre

(*L'Instant fatal*, « Poésie- Gallimard », 1966, p. 187).

ou

Alors jvais chez lchirurgien

ou même

Si tu t'imagines
xa va xa va xa

(*Ibid*, p. 181).

5. De nouveaux types de vers ?

En principe, le catalogue est infini, puisque la longueur du vers n'est pas limitée. On ne peut donc recenser que quelques vers particuliers, remarquables à certains égards et surtout parce qu'ils reprennent ou rappellent des vers classiques.

Il n'y a rien de nouveau à dire des octosyllabes et des vers plus petits.

Mis à l'honneur par Verlaine, le vers de neuf syllabes et le vers de treize syllabes ne sont pratiquement jamais employés seuls ; un lecteur les repère difficilement dans un ensemble de vers libres.

Le vieil Alexandre...

C'est encore l'alexandrin qui se porte le mieux, mais il a bien changé. On peut s'en rendre compte en étudiant ce fragment du *Tombeau d'Orphée* de Pierre Emmanuel.

Je me souviens d'assassinats dans la mémoire
de froides profondeurs d'alcôve et de sommeil
vertigineux (l'œil grand ouvert sur ses abîmes
le souffle à perte de durée crevant l'azur).
5 *L'ombre glacée des mains périt sur la paroi*
Le pied cède ou le ciel peut-être on ne sait pas
et l'immobilité explose ainsi qu'un arbre
la tête en bas et dirigée selon le sang,
tandis que l'Autre ciel lucide me regarde
10 *quelle hâte d'être la lame au fond des chairs*
et pénétrée de douces chairs jusqu'à la pointe
où bourgeonne la Mort, de tuer ! le néant
est le prix du plaisir cruel de se connaître
et la lame ne peut se connaître qu'en tuant.

(*Tombeau d'Orphée*, Paris, Seghers, 1946, p. 81).

L'absence de rimes, la disparition des majuscules en tête de vers ne sont pas les traits les plus importants.

On observe que chaque vers compte douze syllabes. Certains d'entre eux ont une césure habituelle, comme le vers 2. D'autres ont une césure qui ne correspond pas à la pause la plus forte du vers, comme le vers 3.

Ce fragment présente toutes les variantes possibles de l'alexandrin lorsque, comme le dit Mallarmé, on desserre « intérieurement ce mécanisme rigide et puéril de sa mesure ».

a) la sixième syllabe est accentuée ; mais la septième syllabe, qui comporte un *e* prononcé, fait partie du même mot que la sixième :

et pénétrée de dou / ces chairs jusqu'à la pointe

Certes un peu pédante, l'expression « césure enjambante » est bien commode pour désigner un phénomène assez fréquent.

b) la sixième syllabe n'est pas accentuée parce qu'elle comporte un e prononcé ; la septième syllabe appartient évidemment à un autre mot :

le souffle à perte de / durée crevant l'azur

ou

quelle hâte d'être / la lame au fond des chairs

c) il n'y a ni syllabe accentuée ni frontière de mots :

Je me souviens d'assa / ssinats dans la mémoire

ou

la tête en bas et di / rigée selon le sang

Certains vers de ce fragment présentent deux accent toniques importants sur la quatrième et la huitième syllabes :

Je me souv<u>iens</u> d'assassi<u>nats</u> dans la mé<u>moire</u>

ou

vertigi<u>neux</u> (l'œil grand ou<u>vert</u> sur ses a<u>bîmes</u>

ou

le souffle à <u>per</u>te de du<u>rée</u> crevant l'a<u>zur</u>).

ou

la tête en <u>bas</u> et diri<u>gée</u> selon le <u>sang</u>.

ou

tandis que <u>l'Aut</u>re ciel lu<u>ci</u>de me re<u>garde</u>

ou

et péné<u>trée</u> de douces <u>chairs</u> jusqu'à la <u>pointe</u>

On pourrait parler de trimètres, en observant que les césures de type nouveau peuvent être des césures enjambantes. Leur présence ne signifie pas pour autant la disparition obligatoire de la césure classique après la sixième syllabe.

Mais on observe aussi que les trimètres n'englobent pas tous les vers à césure non classique. Les deux classements ne se recouvrent pas.

Quelle hâte d'être la lame au fond des chairs

n'est ni un alexandrin classique, ni un trimètre.

L'observation de ces variantes fait mieux ressortir ce qu'est la césure classique, et pourquoi les théoriciens de l'époque avaient tort de la confondre avec une coupe. Les trois variantes indiquées plus haut ne se trouvent pas dans la poésie française avant 1860, et n'ont été vraiment imposées que par Laforgue et les symbolistes.

L'existence de ces variantes permet des jeux qui combinent leurs effets avec ceux de la discordance entre mètre et syntaxe.

Le décasyllabe

Le décasyllabe, encore employé seul dans les poèmes, donne lieu à des remarques analogues.

Il est parfois pourvu d'une césure enjambante, comme dans ce vers d'Éluard :

Et c'est l'extase des chasseurs heureux
(*Derniers poèmes d'amour*).

La césure se trouverait entre « exta- » et « -se ».

On doit noter que Baudelaire avait imposé, contre toute une tradition, une césure après la cinquième syllabe. Il a suffi d'un poème, « La Mort des amants ».

Nous aurons des lits, pleins d'odeurs légères,
Des divans profonds comme des tombeaux (...)

Les poètes jouent parfois à confronter les deux rythmes, comme Patrice de La Tour du Pin au début de sa *Quête de Joie* :

Tous les pays qui n'ont plus de légende
Seront condamnés à mourir de froid...
(in *Une Somme de poésie*).

Enfin certains poètes modernes, et en particulier Yves Bonnefoy, ont largement utilisé, mêlé à d'autres vers, un décasyllabe dont la césure apparaît après la sixième syllabe. Ce vers a donc le même début que l'alexandrin. Voici, de Bonnefoy, un quatrain composé de deux alexandrins précédés de deux décasyllabes, dont le premier est césuré après la sixième syllabe.

L'oiseau m'a appelé, je suis venu,
J'ai accepté de vivre dans la salle
Mauvaise, j'ai redit qu'elle était désirable,
J'ai cédé au bruit mort qui remuait en moi.

(*Poèmes*).

Il se produit un certain jeu d'échos, dont on aperçoit le principe sur le schéma suivant : 6/4, 4/6, 6/6, 6/6. La barre oblique indique la césure. Le rythme est encore compliqué par un rejet entre deuxième et troisième vers.

Allongements

Il peut être intéressant de signaler, parmi les différentes expériences qui ont été tentées, celle qui consiste à grouer deux octosyllabes en un seul vers, qui comprend donc *seize syllabes*. Voici un exemple emprunté au *Fou d'Elsa*, d'Aragon :

O nom que je ne nomme point et qui s'arrête dans ma bouche
Comme un objet de pureté qui briserait son propre son
Comme la fleur dans le tilleul avant de la voir que l'on sent
O nom de vanille et de braise ô comme l'oiseau sur la branche
Léger à la lèvre tremblante et doux au toucher de la main
Comme le verre que l'on brise et qui ressemble une caresse
Comme l'aveu d'une présence au bord de l'ombre tentatrice
Nom de cristal loin dans la ville ou tout près murmure d'amant [1]
(...)

Deux remarques en passant : d'abord l'absence de ponctuation n'empêche pas l'analyse syntaxique du texte, et ne nuit pas à sa compréhension ; d'autre part, le système de rimes est assez exceptionnel : ce sont les consonnes qui riment et non les voyelles, « *b*ou*ch*e » / « *b*ran*ch*e », « *s*on » / « *s*ent », etc. Rimes embrassées. Tentative, semble-t-il, sans grande postérité.)

La césure de vers qu'on pourrait appeler « grand alexandrin » est tout à fait semblable à celle de l'alexandrin classique. Aragon s'est diverti parfois à l'oublier :

---

1. Louis Aragon, *Le Fou d'Elsa*, Paris, Gallimard, 1963.

L'amour que je vous porte ô mère à nul autre n'est comparable
Les femmes m'ont donné le plaisir ainsi qu'une terre arable[1] (...)

La césure tomberait entre « plai- » et « -sir ».

L'unité du vers est marquée de deux façons :
– par la typographie, dont il faut souligner qu'elle joue un rôle essentiel dans la poésie moderne, plus souvent lue en silence que déclamée ;
– par la rime, qui indique la fin du vers.

Il faut dire aussi que la syntaxe, en accord avec le mètre, ne contribue pas peu à donner cette impression de vers unique.

La ponctuation seule permet à Pierre Emmanuel d'obtenir le même effet d'unité, bien qu'il lui arrive d'élider à la césure un *e* que les usages classiques auraient conduit à prononcer.

Le sans Visage sans image voici qu'une âme le reflète
Il lui donne de désirer ce qu'elle porte sans le voir
La Voix rêvée inentendue c'est dans sa chair qu'elle l'invente
Pour débusquer Dieu de lui-même bienheureux ce premier péché
(*Sophia*, Paris, Le Seuil, 1973, p. 137).

On citera enfin ces vers de dix-huit syllabes, qui semblent se partager en trois groupes de six syllabes, et donc valoir, si l'on veut, un alexandrin et demi. Leur caractère parodique peut servir à rappeler que les innovations métriques sont souvent le fait de fantaisistes.

Le velours olfactif et grenu du dupont rouge lie-de-vinette
étalé par plaques sous les marronniers des lumières descendantes
drape le sort mortel des ombres tamisées des bourgeois frétillantes
dans l'ombre de la ville où le tramway s'endort dans un bruit de clochettes (...)
(R. Queneau, *L'Instant fatal*, Paris, Gallimard, 1966, p. 136).

Raymond Queneau ne semble pas avoir fait école avec cette formule. Il est certain en revanche que l'alexandrin moderne doit beaucoup à certains vers irrévérencieux de Laforgue, comme à cette « Complainte du sage de Paris ».

Ah ! démaillotte-toi, mon enfant, de ces langes
L'Occident ! va faire une plaine eau dans le Gange.

La logique, la morale, c'est vite dit ;
Mais gisements d'instincts, virtuels paradis,
Nuit des hérédités et limbes des latences !
Actif ? passif ? ô pelouses des Défaillances, (...)

1. *Op. cit.*

Le vers approximatif

Dans son article intitulé *Crise de Vers*, après avoir évoqué les transformations de l'alexandrin, Mallarmé donne quelque idée de ce qu'il appelle bravement « le vers faux ». Il nomme Jules Laforgue (peut-être à tort) et Henri de Régnier, qui avait écrit par exemple :

Route des frênes doux et des sables légers
Où le vent efface les pas et veut qu'on oublie
Et qu'on s'en aille ainsi qu'il s'en va d'arbre en arbre (...)
(in Delvaille, *La Poésie symboliste*, Paris, Seghers, 1971, p. 286).

Mais il est clair, de toute façon, que les meilleurs exemples de vers approximatifs se trouvent dans la chanson populaire. On peut toujours chanter deux syllabes sur une note, si le vers est trop long, une syllabe sur deux notes dans le cas contraire.

Oh ! que Dieu bénisse le père
Et la mère qui l'ont nourrie !
C'est la plus charmante des filles
Que jamais mes yeux ont pu voir.

Que les étoiles sont brillantes,
Et le soleil éclatant !
Mais les beaux yeux de ma maîtresse
En sont encor les plus charmants.
(in Davenson, *Le Livre des chansons*, Neuchâtel, La Baconnière (1946, 1982, p. 287).

La version reproduite ici, d'après Henri Davenson, a été recueillie dans le Dauphiné. Peut-être, dans d'autres provinces, le sixième vers avait-il huit syllabes comme les autres.

Comme la chanson populaire élide le *e* caduc sans règle précise, on n'est jamais très sûr de la longueur que doit avoir tel ou tel vers.

Rossignolet du vert bocage,
oh ! je t'en prie, console-moi :
On dit que ma mie est malade,
oh ! permets-moi d'aller la voir !
– Non, ta mie n'est pas malade,
elle est guérie de tout mal :
Elle est morte et enterrée,
à elle il n'y faut plus penser.

(*Ibid*, p. 277).

On serait tenté, pour conserver des octosyllabes, de suivre un usage médiéval, et de prononcer le *e* à la fin de « ta mie », « guérie », « morte ». Solution théoriquement possible, mais peu probable, car ces *e* tomberaient sur des temps forts de la mélodie.

Le vers approximatif apparaît souvent dans un contexte qui évoque la chanson populaire.

La « Chanson de la plus haute tour » d'Arthur Rimbaud, est écrite en vers de cinq syllabes et, dans la version que donne *Une saison en Enfer,* se termine par un vers un peu trop court :

Telle la prairie
A l'oubli livrée,
Grandie, et fleurie
D'encens et d'ivraies,
Au bourdon farouche
Des sales mouches.

Le refrain comporte, en revanche, un vers un peu trop long :

Qu'il vienne, qu'il vienne
Le temps dont on s'éprenne.

Considéré par ses contemporains comme un bon provincial un peu naïf, étranger aux sophistications de la capitale symboliste, Francis Jammes (qu'il est inutile d'appeler « Djèm's », comme le font quelques anglomanes écervelés) a fabriqué des alexandrins vacillants :

La mairie est carrée avec sa vieille horloge
qui retarde toujours même lorsqu'elle avance.
Et les platanes bleus sous qui l'ombre s'allonge
abritent les ménétriers et les hommes qui dansent
en rebondissant, légèrement, sur leurs blanches sandales.
Et les filles arivent et se mêlent à eux.
Elles posent à terre des paniers pleins d'œufs
et, sérieusement et douces, elles dansent.

(in *De l'Angélus de l'aube à l'Angélus du soir*, Paris, « Poésie-Gallimard », 1971, © Mercure de France).

En élidant à tort et à travers, on peut arriver à obtenir douze syllabes partout. Mais il faut aussi prononcer des *e* acrobatiques. Il semble plutôt que ces vers, de longueur un peu imprécise, tournent autour de douze syllabes, et les atteignent parfois.

Ce n'est pas de la même naïveté, de la même maladresse simulée que joue Saint-John Perse dans la « Berceuse » barbare qu'il chante pour une fille première-née, tuée sur l'ordre de son père, un roi qui voulait d'abord un garçon.

Du lait de Reine tôt sevrée
Au lait d'euphorbe tôt vouée,
Ne ferez plus la moue des Grands
Sur le miel et sur le mil,
Sur la sébile des vivants...

(*Œuvres complètes*, Paris, Gallimard, p. 84).

Les vers ont à peu près huit syllabes, sauf le quatrième, dont on ne sait que faire. Dans d'autres strophes, il faut, si l'on tient à la sacro-sainte régularité, traiter le *e* de la manière la plus anarchique.

N'avait qu'un songe et qu'un chevreau
– Fille et chevreau de même lait –
N'avait l'amour que d'une Vieille.
Ses caleçons d'or furent au Clergé
Ses guimpes blanches à la vieille.

(*op. cit.*).

Il est légitime de supposer que Saint-John Perse préférait laisser flotter des vers vagues autour de vers nettement déterminés.

Le vers approximatif ouvre la voie au vers libre. Il est curieux de constater que « Zone », le premier poème d'*Alcools* s'ouvre sur un alexandrin douteux :

À la fin tu es las de ce monde ancien.

« Ancien » est un des rares mots pour lesquels on peut ou non faire la diérèse. Selon le choix du lecteur, le vers est un alexandrin, chose ancienne, ou un vers affranchi. Tout au long du poème, Apollinaire sème des alexandrins, dont les autres vers s'éloignent plus ou moins.

Le matin par trois fois la sirène y gémit

ou

Puis voici la colombe esprit immaculé

ou

C'est toujours près de toi cette image qui passe

ou

Et tu bois cet alcool brûlant comme ta vie.

La question se pose de savoir si ces vers nettement mesurés ont un rôle à jouer dans la construction musicale du poème.

Le vers libre

On entend fréquemment employer l'expression « vers libre » pour désigner un vers sans rime. Il est vrai que, d'une manière générale, quand on survole la poésie classique et la poésie moderne, c'est la disparition de la rime qui frappe le plus ; et l'on sait que la rime est une contrainte.

Il reste que les vers sans rime ont depuis longtemps un nom, peu esthétique il est vrai : on les appelle des « vers blancs ». Et l'on a réellement besoin d'un terme qui désigne les vers non mesurés, ceux qui n'ont pas de modèle classique. « Vers libre » peut convenir. Car le décompte des syllabes était aussi une contrainte, qu'il soit exigé par la tradition, comme pour l'alexandrin, ou simplement par le souci d'imiter et de reproduire le premier vers d'un poème.

On note que les jeunes symbolistes, ceux qui ont commencé à écrire un peu après 1880, ont écrit des vers qu'ils appelaient « libres » et qui ne négligeaient pas la rime, mais la traitaient sans se soumettre aux schémas habituels. Voici par exemple, de Francis Vielé-Griffin, une strophe (à supposer que le mot puisse encore convenir ; existe-t-il des « strophes libres » ?) :

Étire-toi, la Vie est lasse à ton côté
– Qu'elle dorme de l'aube au soir,
Belle, lasse
Qu'elle dorme –
Toi, lève-toi : le rêve appelle et passe
Dans l'ombre énorme ;
Et si tu tardes à croire,
Je ne sais quel guide il te pourra rester
– Le rêve appelle et passe,
Vers la divinité.

(in Delvaille, *La Poésie symboliste*, Paris, Seghers, 1971, p. 294, © Mercure de France).

Le schéma serait :

10	8	3	3	10	4	7	11	6	6
a	*b*	*c*	*d*	*c*	*d*	*b*	*e*	*c*	*e*

Il serait absurde de chercher à distinguer des finales féminines et des finales masculines, puisque « soir » rime avec « croire ». Il est plus intéressant de remarquer la distribution des rimes, très libre, qui produit des effets tout à fait nouveaux à l'époque, et fort peu explorées depuis.

Dans quelques vers, on peut avoir un doute sur la nécessité de prononcer tous les *e* prévus par la règle classique. Des enregistrements permettent de savoir que Vielé-Griffin élidait plusieurs d'entre eux. On pourrait être tenté de dire : « Qu'ell' dorme » [kɛl doRm] ou «Et si tu tard' à croire » [e si ty taRd a kRwar], sans faire la liaison, pour annoncer les vers de six syllabes qui vont venir.

On sera tenté bien davantage d'oublier l'usage classique lorsque l'on aura affaire à des vers un peu longs, surtout si les *e* précèdent des pauses nettes. Blaise Cendrars écrit, dans la *Prose du Transsibérien* :

Le train tonne sur les plaques tournantes
Le train roule
Un gramophone grasseye une marche tzigane
Et le monde, comme l'horloge du quartier juif de
Prague, tourne éperdument à rebours.

(*Du monde entier*, Paris,« Poésie-Gallimard », 1962, © Denoël).

Il n'est pas facile de déterminer absolument combien de syllabes il convient de donner au dernier de ces quatre vers : comment traiter les *e* qui terminent « monde », « horloge », « Prague » ? La question n'a probablement aucun intérêt. On est aux prises avec un vers non exactement mesuré. Le troisième vers peut avoir de dix à treize syllabes, selon les choix du lecteur (qui peut avoir envie d'un alexandrin). La « Prose » commence par un alexandrin parfaitement poli :

En ce temps-là j'étais en mon adolescence

Elle donne en troisième place un vers qui peut compter douze syllabes, si on triche un peu :

J'étais à 16 000 lieues du lieu de ma naissance

Mais le second vers, qui rime avec les autres, est déjà déroutant :

J'avais à peine seize ans et je ne me souvenais déjà plus de mon enfance

Vers non mesurés ; vers qui ne peuvent pas l'être. Vers affranchis de la mesure. Vers libres.

Le problème du verset

L'usage s'est établi d'appeler « versets » les vers libres un peu longs composés par certains poètes, notamment Paul Claudel, qui a lui-même d'ailleurs suggéré de manière pressante cette appellation. L'origine du mot est bien connue : le texte de la Bible est traditionnellement en petits ensembles numérotés que les imprimeurs présentent parfois comme autant de petits paragraphes. Voici comme exemple le début du Livre de *La Genèse* :

> *1. Au commencement, Dieu créa le ciel et la terre*
> *2. Or la terre était vague et vide, les ténèbres couvraient l'abîme, l'esprit de Dieu planait sur les eaux.*
> *3. Dieu dit : « Que la lumière soit », et la lumière fut.*
> *4. Dieu vit que la lumière était bonne, et Dieu sépara la lumière et les ténèbres.*
> *5. Dieu appela la lumière « jour » et les ténèbres « nuit ». Il y eut un soir et il y eut un matin : premier jour.*

Voici maintenant le début du premier drame de Claudel, *Tête d'or*, dans sa première version :

> *Me voici,*
> *Imbécile, ignorant,*
> *Homme nouveau devant les choses inconnues,*
> *Et je tourne la face vers l'Année et l'arche pluvieuse, j'ai plein mon cœur d'ennui ,*
> *Je ne sais rien et je ne peux rien. Que dire ? que faire ? A quoi emploierai-je ces mains qui pendent ? ces pieds qui m'emmènent comme les songes ?*
> *Tout ce qu'on dit, et la raison des sages m'a instruit*
> *Avec la sagesse du tambour ; les livres sont ivres.*
> *Et il n'y a rien que moi qui regarde, et il me semble*
> *Que tout, l'air brumeux, les labours frais,*
> *Et les arbres, et les nuées aériennes,*
> *Me parlent avec un langage plus vague que le ia ! ia ! de la mer, disant :*
> *« O être jeune, nouveau ! qui es-tu ? que fais-tu ? »*
> (*Théâtre I*, Pléiade, Gallimard, 1967, p. 31).

S'il est vrai que la longueur moyenne du verset biblique et celle du verset claudélien sont proches, s'il est vrai que, en 1890, les versets de *Tête d'Or* paraissaient beaucoup plus longs que tous les vers alors connus, si libres fussent-ils, et semblaient mériter un nom particulier, il reste qu'une énorme différence saute aux yeux : le verset biblique, comme le verset coranique, est le plus souvent, dans l'écrasante majorité des cas, un ensemble syntaxique et sémantique complet ; il se compose fréquemment d'une seule phrase ; le verset claudélien, au contraire, peut ne pas coïncider avec une phrase ou un groupe de phrases. Il arrive qu'un verset contienne plusieurs phrases, ou, à l'inverse, qu'une phrase soit partagée entre plusieurs versets ; ou encore qu'un verset abrite une phrase plus un fragment d'une seconde phrase qui se poursuivra dans le verset suivant. Pour tout dire, la discordance entre mètre et syntaxe n'est pas exclue. On rencontre des rejets très violents :

> *Ni*
> *Le marin, ni*
> *Le poisson qu'un autre poisson à manger*
> *Entraîne, mais la chose même et tout le tonneau et la veine vive,*
> *Et l'eau même, et l'élément même, je joue, je resplendis ! Je partage la liberté de la mer omniprésente !*
>
> (*Œuvre poétique*, Pléiade, Gallimard, 1957, p. 236).

Souvent les poètes comme Jules Supervielle, Pierre Emmanuel, Jean Grosjean, lorsqu'ils emploient ce long vers libre qu'il est, de fait, possible et même commode d'appeler « verset », font coïncider des unités syntaxiques avec les unités métriques. Plus encore peut-être que dans le système classique, cette coïncidence doit être considérée comme l'effet d'un choix et non comme une nécessité qui découlerait de l'essence du vers. L'existence possible de rejets dans le vers libre amène à modifier l'idée que l'on peut se faire de la versification.

Une tradition aussi vieille que la poésie française définit le vers par le nombre de ses syllabes, en référence à des modèles donnés. Une tradition moins ancienne exige que les fins de vers coïncident avec des pauses syntaxiques, et considère comme un accident exceptionnel tout oubli de ce principe.

Le vers libre, qu'il comporte des rimes, comme chez les symbolistes, ou qu'il n'en comporte pas, comme c'est généralement l'usage depuis le début du siècle, qu'il reçoive le nom de « verset » ou qu'il ne le reçoive pas, est un vers souvent difficile à mesurer et un vers qui peut entrer, comme les autres, en discordance avec la syntaxe. Le vers libre impose une segmentation au discours ; il le découpe, pour ainsi dire, en fragments de longueur aléatoire. La syntaxe, elle aussi, segmente le discours, le découpe en des fragments de longueur aléatoire. La différence est que le lecteur considère d'instinct que la segmentation syntaxique est justifiée par le sens, alors que la segmentation métrique est arbitraire.

Cependant, la segmentation métrique et la segmentation syntaxique peuvent ne pas se recouvrir.

On en déduit que la limite qui sépare deux vers n'est pas un phénomène qui relève de la linguistique. L'usage s'est établi de lui donner un nom propre : on parle de « blanc métrique ».

Le blanc métrique

Le mot est évidemment métaphorique ; il vient de la typographie : à la fin d'un vers, on laisse un espace libre, « blanc », et on va à la ligne. Mais il va de soi que, même lorsqu'ils ne sont pas écrits, les vers ont une fin, se terminent dans du silence. « Silence » pourrait fournir une appellation métaphorique au même titre que « blanc » ; mais on risquerait alors de confondre la fin du vers avec une pause linguistique, avec un arrêt de la voix. Or l'important est justement de distinguer le phénomène métrique, le vers, du phénomène linguistique. Il reste que le blanc typographique réel, l'espace vide, est une réalisation du « blanc métrique », de la limite de vers et que, dans certains cas, assez fréquents, le « blanc métrique » est réalisé par un diseur sous forme de pause.

Dans nombre de poétiques, dont le système classique français, le blanc de fin de vers est souligné par un artifice : la rime par exemple. De plus, le vers reçoit une organisation interne : en grec et en latin, on prévoyait la distribution des syllabes brèves et des syllabes longues selon des schémas traditionnels ; la poésie classique, en anglais ou en allemand, impose certaines répartitions des syllabes accentuées et des syllabes atones. Le système classique français organise le vers par référence à des modèles arithmétiques simples et, dans certains cas, fixe des césures.

Vers « réglés » et rythme

On entend souvent poser la question : le vers libre est-il un vers ? Celui qui pose une question pareille présuppose que le vers doit avoir une organisation interne, qu'il ne peut pas exister de vers sans organisation interne. Ce préjugé est parfaitement respectable ; il a été partagé pendant des siècles par les poètes et leurs publics. On est en France depuis cent ans (depuis un peu plus longtemps d'ailleurs) devant une situation inouïe : il existe des vers dépourvus d'organisation interne codifiée. On pourrait songer à inventer un mot nouveau ; il se trouve que les poètes disent « vers ». Pourquoi ne pas les imiter ? On emploiera l'expression *vers réglés* pour désigner les vers qui ont une organisation interne codifiée. « Vers réglés » est préférable à « vers réguliers ». Il insiste sur l'existence de la règle, et évite l'ambiguïté du mot « régulier » qui désigne aussi bien la conformité à une norme que l'égalité des durées qui séparent le retour d'un phénomène.

Le « vers » est donc défini comme un fait non-linguistique par la segmentation qu'il impose au discours, par les « blancs » qu'il y introduit. Le vers classique, vers réglé, pourvu d'une organisation interne, est un cas particulier à l'intérieur d'un phénomène plus général. Comme son organisation interne suffisait apparemment à le définir, on ne s'est pas donné la peine de réfléchir sur ce que signifiait la fin du vers, et on l'a identifiée, à tort, avec une pause linguistique, fin de phrase, de proposition, de groupe syntaxique.

Si le vers n'est pas obligatoirement mesuré, si sa longueur n'entre pas dans sa définition, il est possible que le mot « rythme » reçoive, outre ses sens habituels, un sens nouveau. Le *Grand Dictionnaire Encyclopédique Larousse* enregistre ce sens nouveau dans les termes suivants : « Succession de temps forts et de temps faibles, mouvement dans une œuvre littéraire, un film. » « Succession de temps forts et de temps faibles » n'implique pas que les durées qui séparent ces temps soient égales. Il y a rythme dès qu'il y a oscillation, même très irrégulière. Le retour du blanc métrique crée un rythme, par son opposition aux paroles qui constituent les vers.

Claudel définissait le verset comme une unité de souffle. Il savait parfaitement que cette unité pouvait ne pas s'indentifier à une phrase ; il savait aussi qu'elle n'avait pas toujours la même durée. Il y a souffle parce qu'il y a succession d'inspirations et d'expirations. C'est sur le fond de ce rythme essentiel que se construisent tous les autres.

La strophe ou quasi-strophe

Il resterait à savoir si la poésie moderne a exigé une nouvelle définition de la strophe comme elle a exigé une nouvelle définition du vers et une nouvelle définition du rythme. Il est de fait que la strophe classique est liée à la mesure du vers et à la rime, phénomènes qui ont perdu leur généralité. Il est de fait aussi que la typographie continue à insérer du blanc non seulement à la fin des vers, mais aussi, parfois, par lignes entières, entre deux groupes de vers.

Ces lignes, ces espaces vides, peuvent coïncider, et coïncident généralement, avec des fins de paragraphe. La ligne de blanc joue, en vers, le même rôle typographique que le passage à la ligne en prose. Elle intervient presque toujours après la fin d'une phrase. Mais rien, en principe, n'oblige à identifier le paragraphe, qui relève d'une analyse syntaxique et sémantique, avec le groupe de vers limité par deux lignes de blanc. On a pris l'habitude de garder le mot « strophe », quitte, s'il faut souligner que cette strophe n'est pas pourvue d'une organisation interne, d'un schéma de mesures et de rimes, à parler de « quasi-strophe ».

6. Les aventures de la rime

« Les torts de la rime » ?

La rime est la victime la plus illustre de la catastrophe qui s'est abattue sur le système classique à l'époque symboliste.

Prends l'éloquence et tords-lui son cou !
Tu feras bien, en train d'énergie,
De rendre un peu la Rime assagie.
Si l'on n'y veille, elle ira jusqu'où ?
O qui dira les torts de la Rime ?

(*Jadis et naguère*).

Cet appel de Verlaine a été largement entendu, de différentes façons. Les uns, peu nombreux, ont cherché de nouveaux raffinements. D'autres sont allés dans le sens d'une simplification. Le plus grand nombre a simplement oublié un procédé qui passe pour usé et méprisable.

On pourrait décrire une lignée de poètes qui va de Verlaine à Georges Brassens en passant par Francis Jammes, Guillaume Apollinaire, Louis Aragon et quelques autres. Poètes qui ne dédaignent pas de faire entendre la vieille ritournelle, selon les figures anciennes, plates, croisées ou embrassées.

Ils inventent parfois des systèmes. Depuis qu'on fait rimer « vertu » et « berlue », « épi » et « chipie », la notion de rime féminine n'a plus grand sens. Verlaine avait observé qu'il existe une différence sensible, pour une oreille exercée, entre les mots qui se terminent par une voyelle et ceux qui se terminent par une consonne, entre « un tas », « ils croient », « un bêta », d'une part, et « une aile », « le recel », « ils bêlent », d'autre part : contrairement à la différence entre finales masculines et féminines, qui tient à l'écriture, la différence entre finales vocaliques et consonantiques tient à la prononciation et à l'audition.

Aragon a fait rimer de très nombreux vers selon ce principe, en observant l'alternance.

> *Comme une goutte de pluie*
> *Mon étoile qui se perd*
> *Mon étoile au ciel impaire*
> *Une larme au loin qui luit*
>
> *Mon étoile ma prunelle*
> *Mon pauvre bonheur lointain*
> *Veilleuse avant le matin*
> *De ce grand vide éternel*
>
> (*Le Fou d'Elsa*, Paris, Gallimard, 1963, p. 324).

C'est le seul système nouveau dont l'application ait été un peu étendue. En général les système inventés et renouvelés des temps anciens (on a beaucoup batifolé avec la rime à la fin du Moyen Age, à l'époque des poètes appelés « Grands Rhétoriqueurs » ; et Marot s'en est souvenu) ne produisent qu'un poème ou une rime isolée dans un poème.

Tel, pour mémoire, le procédé de la rime « enjambante » qui se trouve dissimulée dans ce quatrain d'Aragon :

> *O revenants bleus de Vimy vingt ans après*
> *Morts à demi Je suis le chemin d'aube hélice*
> *Qui tourne autour de l'obélisque et je me risque*
> *Où vous errez Malendormis Malenterrés.*
>
> (*Les Yeux d'Elsa*, Paris, Seghers, 1942, p. 38).

On pourrait écrire : « Hélice qu- / -i tourne » pour rimer avec « je me risque » ; ou, inversement : « je me ris- / qu' où vous errez » pour rimer avec « hélice ».

Sans perdre la rime le quatrain d'alexandrins peut se transformer en sixain d'octosyllabes :

> *O revenants bleus de Vimy*
> *Vingt ans après morts à demi*
> *Je suis le chemin d'aube Hélice*
> *Qui tourne autour de l'obélisque*
> *Et je me risque où vous errez*
> *Malendormis Malenterrés.*

On retrouve une « rime enjambante » entre « hélice / Qui » et « obélisque ».

Raymond Queneau utilise la même technique, mais en l'exhibant et en la poussant plus loin : toutes les rimes coupent des mots en deux :

Quand les poètes s'ennuient alors il leur ar-
Rive de prendre une plume et d'écrire un po-
Eme mon comprend dans ces conditions que ça bar-
Be un peu quelquefois la poésie la po-
Esie.

(*L'Instant fatal*, Paris, « Poésie-Gallimard », 1966, p. 159).

On peut vérifier que ces vers ont tous douze syllabes, si on évite d'élider le *e* qui termine « bar-Be ».

Ces fantaisies ont un intérêt certain. Elles montrent que rien, en nature, n'oblige la fin du vers à coïncider avec une fin de mot. Le blanc métrique peut se trouver au milieu d'un mot, au milieu d'une syllabe. Situation exceptionnelle dans la pratique, mais qui n'a pas toujours la valeur burlesque qu'on lui supposerait.

Les poètes qui aiment la rime préfèrent généralement la traiter avec une certaine désinvolture. Non seulement ils ne tiennent aucun compte de l'orthographe, mais encore ils se contentent d'approximations :

Mais les brav's gens n'aiment pas que
L'on suive une autre route qu'eux.

(Brassens).

En principe la langue distingue les deux phonèmes, dont le premier ne peut pas recevoir l'accent tonique.

A la rime se substitue, sans crier gare, l'assonance :

Un soir de demi-brume à Londres
Un voyou qui ressemblait à
Mon amour vint à ma rencontre
Et le regard qu'il me jeta
Me fit baisser les yeux de honte

(Apollinaire, *Alcools*, Paris, Gallimard, 1971, p. 17).

Ce qui compte, c'est que la rime, n'étant plus obligatoire, devient un procédé qui peut servir à construire des contrastes. A l'intérieur d'un même recueil, on peut opposer des poèmes rimés à des poèmes sans rimes. Ce jeu se rencontre aussi bien chez des poètes que l'on sait attachés à certaines traditions, comme Aragon (*Le Fou d'Elsa*) ou Pierre Emmanuel (*Sophia*) que chez des poètes considérés comme novateurs, ne serait-ce que René Char. Dans *Les Matinaux*, on rencontre, à côté de proses et de vers libres, la « Complainte du Lézard amoureux » :

N'égraine pas le tournesol,
Tes cyprès auraient de la peine,
Chardonneret, reprends ton vol
Et reviens à ton nid de laine. (...)
(*Œuvres complètes*, Paris, La Pléiade, Gallimard, 1983, p. 294).

Les sept quatrains du poème sont rimés de cette manière. Il n'est pas sûr qu'on puisse donner une interprétation sémantique évidente du contraste entre poèmes rimés et poèmes non rimés, contraste sur lequel Char organise son recueil.

Déplacements de la rime

A côté de son emploi systématique dans un poème entier ou dans un fragment un peu long, la rime se prête aussi à un autre procédé : elle apparaît, éparse, dans un poème en général non rimé. Deux cas, parmi d'autres, sont remarquables.

La rime peut toucher deux vers très proches qui, de cette manière, se détachent de l'ensemble. On pourrait en trouver un exemple au début du poème d'Anne Hébert, « La petite morte » :

Une petite morte
s'est couchée en travers de la porte.
(*Poèmes*, Paris, Le Seuil, 1960, p. 47).

Et plus loin :

C'est une enfant blanche dans ses jupes mousseuses
D'où rayonne une étrange nuit laiteuse.
(*ibid.*)

(La rime entre ces deux vers libres est soulignée par l'assonance entre « blanche » et « étrange » dans le corps des vers).

La rime peut toucher des vers éloignés, mais qui occupent des positions remarquables dans le poème, par exemple en fin de strophe (ou quasi strophe). Le même poème en offre un exemple. Les vers qui viennent d'être cités terminent un premier ensemble, de sept vers. Le second ensemble, de treize vers, se termine ainsi :

Où cette sœur que nous avons
Se baigne bleue sous la lune
Tandis que croît son odeur capiteuse.
(*ibid.*)

Ce ne sont plus, si l'on veut, seulement des vers qui riment. Ce sont les deux parties du poème.

Le recours aux jeux typographiques

La déclamation occupe une place de plus en plus restreinte dans la poésie moderne, à laquelle on accède le plus souvent par la lecture silencieuse. La typographie a cessé d'être une servante insignifiante. Il n'est pas mauvais de signaler certaines de ses possibilités. La liste peut difficilement prétendre à l'exhaustivité.

Beaucoup de poètes ont renoncé à la majuscule en début de vers quand elle n'est pas exigée par l'usage orthographique de la prose.

Certains ont aboli toute majuscule comme Jacques Roubaud :

je vais m'arrêter dans le noir dans le noir
je n'ai plus d'œil je n'ai plus de cœur chaud
j'ai perdu le droit d'être un cœur et de battre
sur une porte d'aurore ah cher renard
et tu voudrais des roses dans ton cachot
couche couche toi sous la ténèbre plate (...)

(*E*, Paris, Gallimard, 1967, p. 81).

(Vers de onze syllabes, avec une suggestion de césure après la cinquième syllabe, aux vers 1, 3, 6 ; le vers 2 ne compte que dix syllabes ; rimes abc'abc').

Il est fréquent qu'un poème, depuis Apollinaire, s'écrive sans ponctuation aucune. Le poème qui vient d'être cité en serait un exemple (mais il arrive à Jacques Roubaud d'utiliser des signes de ponctuation).

On a dit que les poètes s'étaient « affranchis » de la ponctuation. Plusieurs lecteurs en ont tiré la conclusion que, toute contrainte étant abolie, on pouvait comprendre le poème comme on voulait. Rien n'est plus faux. L'absence de ponctuation ne fait pas disparaître la syntaxe et les mots continuent à dépendre les uns des autres, selon des modèles variés (faut-il rappeler que le fameux modèle « groupe nominal-groupe verbal » n'est qu'un modèle parmi d'autres ?). Il est assez rare qu'on hésite : un complément circonstanciel, un nom ou un adjectif en apposition, peuvent dépendre de ce qui précède ou de ce qui suit.

Les rouages les plus familiers se brisent
Dans la main gantée des prisons
Le mouvement luisant s'éteint des ombres passent

(Éluard, *La Vie immédiate*, Paris,« Poésie-Gallimard », 1967, p. 147).

On ne sait pas si « dans la main gantée... » dépend de la première phrase ou de la seconde. Mais pareil phénomène n'est pas fréquent. En général on découvre une structure syntaxique non ambiguë. Ce qui ne veut pas dire que les mots assemblés forment un sens immédiatement accessible.

Autrefois réservé à la fin du vers et à celle de la strophe, l'espace vide, le blanc, au sens concret du terme, se rencontre partout maintenant dans la page. On note en particulier son apparition à l'intérieur de ce qui semble être un vers.

du drain doré   la lumière en coqs   en heaumes
vers le dessous vers les bogues   l'arôme des ronces

(Roubaud, *E*, Paris, Gallimard, 1967, p. 56).

On observe parfois d'importants décalages entre les débuts de vers. Ces décalages étaient habituels dans la poésie classique, en fonction de la longueur des vers : on faisait commencer à la même distance de la page les vers de même type ; un décalage correspond à une différence :

La cigale ayant chanté
      Tout l'été (...)

Dans le vers libre, ces décalages, arbitraires, sont utilisés comme éléments de construction de la page.

malgré rien
il reste notre corps
                              actuel
                              inachevé
et greffé langue à langue
l'amour s'y tient
comme le souffle
à l'intérieur du cri

(Bernard Noël, *Poèmes 1*, Paris, Flammarion, 1983).

La première manifestation, flamboyante, de ces recherches sur l'espace de la page est le dernier poème de Mallarmé « Un Coup de dés jamais n'abolira le hasard ».

Beaucoup plus accessibles, les calligrammes de Guillaume Apollinaire ne représentent qu'un cas très particulier, et assez isolé. Il ne faudrait pas déduire de leur existence que tout jeu typographique doit avoir une signification visible.

7. Du vers libre au poème en prose

L'exemple de Saint-John Perse

Lisons le début d'*Anabase* de Saint-John Perse :

> *Sur trois grandes saisons m'établissant avec honneur, j'augure bien du sol où j'ai fondé ma loi.*
> *Les armes au matin sont belles et la mer. A nos chevaux livrée la terre sans amandes*
> *nous vaut ce ciel incorruptible. Et le soleil n'est point nommé, mais sa puissance est parmi nous*
> *et la mer au matin comme une présomption de l'esprit.*
>
> (*Œuvres complètes*, « La Pléiade », Gallimard).

La seconde partie du premier vers, les deux parties qui composent le second vers sonnent comme des alexandrins. Ce rythme est parfaitement audible à cause de la rigoureuse concordance entre mètre et syntaxe. On entend ici les alexandrins comme on peut les entendre dans une prose, dans cette phrase de Nerval, par exemple :

> « Le système fatal qui s'était créé dans mon esprit n'admettait pas cette royauté solitaire... ou plutôt elle s'absorbait dans la somme des êtres : c'était le dieu de Lucretius, impuissant et perdu dans son immensité. » (*on a souligné l'alexandrin*).

Le troisième vers est composé de trois éléments de huit syllabes. Le premier pourrait commencer par un élément de six syllabes, suivi d'un élément de huit.

Un lecteur pressé considérerait que l'on a affaire à des alexandrins et à des octosyllabes déguisés, mis bout à bout. Ce serait négliger les blancs métriques et les légers rejets qu'ils permettent. Le texte comporte quatre vers longs, et il n'y a aucune raison de le traduire. Et surtout il comporte un quatrième vers irréductible au découpage.

On pourrait inventer des supplices variés : une diérèse accompagnée de deux élisions violentes. Mieux vaut sans doute, comme dans des cas analogues (vers approximatif notamment), admettre que le poème joue sur des contrastes entre des rythmes pairs, traditionnels, et des rythmes inhabituels.

Et l'on se persuade que ce verset n'a, pour cette raison, rien de commun dans l'allure avec le verset pratiqué par Claudel, dont on pourrait montrer qu'il évite soigneusement ce qui rappellerait des rythmes classiques.

Ainsi un vers neuf est-il construit à partir de vers connus utilisés comme éléments, selon une technique que les poètes grecs connaissaient bien.

On rencontre la technique inverse : des vers brefs semblent produits par la décomposition d'éléments rythmiques familiers.

Trace ultime du jour.

Un arbre
la retient, peut-être. Ancien
oracle.

Morcelés
nous marchons vers lui

– qui se dément.

(Cl. Esteban, *Dans le vide qui vient*, Paris, Maeght, 1976, p. 25).

On entend deux alexandrins, précédés d'un vers de six syllabes. On entend ces rythmes, comme dans une prose, parce qu'ils coïncident exactement avec des ensembles syntaxiques.

Récrire ce poème en trois lignes pour lui donner une allure plus classique, ce serait détruire ou dissimuler : la rupture entre « Ancien » et « oracle » ; la rime interne entre « retient » et « Ancien » ; l'écho entre « Un arbre » et « oracle », qui ont même mesure et plusieurs sons en commun. Ce serait donner une impression visuelle différente, qui n'aurait plus aucun rapport avec le mot « morcelés ».

Le poème a deux formes, l'une plus sensible à l'audition, l'autre plus perceptible aux yeux. Ces deux formes sont en discordance.

Le poème en prose

Comme certains vers classiques, le vers libre peut être un vers composé. L'énumération des types possibles n'aurait aucun sens. C'est à la lecture des poèmes que l'on perçoit les éléments qui se combinent pour composer le vers ; on les perçoit, comme dans Saint-John Perse, parce qu'ils sont familiers à la tradition ; on les perçoit aussi, dans d'autres cas, parce qu'ils se répètent, parce qu'ils se font écho.

Il est évident que le jeu d'échos rythmiques, comme le jeu des assonances et celui des allitérations, comme encore le jeu des retours de figures syntaxiques, peut s'analyser dans un poème en prose aussi bien que dans un poème scandé par le retour du blanc.

On ne perçoit pas seulement un alexandrin dans ce bref poème de René Char intitulé « Maison doyenne » :

> *Entre le couvre-feu de l'année et le tressaillement d'un arbre à la fenêtre. Vous avez interrompu vos donations. La fleur d'eau de l'herbe rôde autour d'un visage. Au seuil de la nuit l'Insistance de votre illusion reçoit la forêt.*
>
> (*Œuvres complètes*, Paris, « La Pléiade », Gallimard, 1983).

La syntaxe isole des groupes de cinq syllabes : « au seuil de la nuit », « la fleur d'eau de l'herbe », « reçoit la forêt ». « L'insistance de votre illusion » propose neuf syllabes, comme « Entre le couvre-feu de l'année », mais les accents toniques sont distribués très différemment, et l'on entend mal le retour d'un rythme. En revanche, ne serait-on pas tenté de détacher « autour d'un visage », et de dire ce groupe enle faisant précéder d'une pause, pour construire un jeu d'échos qui utilise aussi la mélodie, ascendante puis descendante, de la phrase ?

La fleur d'eau de l'herbe   rôde   autour d'un visage.
Au seuil de la nuit   l'Insistance de votre illusion   reçoit la forêt.

La seconde phrase serait dite dans un registre un peu plus grave que la première.

Et il serait difficile, en disant ce poème de Claude Esteban, de ne pas faire entendre les groupes de six syllabes, qui reviennent et le scandent :

> *Disparu le soleil. Arrachée à son fil la belle candeur des pommes. Le temps n'a pas mûri. Il tombe inentamé, comme une pierre. Sans voir, il tranche un noyau blanc, tout l'avenir. Le jour fléchit. L'entaille glisse dans l'écorce. Vite, nos mains. Vite, le corps à vif.*
>
> (*Le Nom et la demeure*, Paris, Flammarion, 1985, p.121).

Il y a peu d'espoir qu'on découvre un jour le critère indubitable qui permettra de distinguer poème en prose et prose poétique. L'expression « poème en prose », volontairement paradoxale, voire contradictoire, a été lancée à un moment précis de l'histoire, avec un objectif précis : il faut tenir compte du rapport que Baudelaire voulait établir, dans la poésie, entre la modernité et le prosaïsme. L'expression a ensuite dérivé ; elle reste aussi difficile à définir ; et l'on est toujours tenté de se contenter d'une référence aux modèles, de dire : le poème en prose, c'est *Le Spleen de Paris* ou les *Illuminations*, et tout ce qui leur ressemble.

Existe-t-il une essence éternelle du poème en prose ? On observe que, depuis la seconde moitié du XIXe siècle, et jusqu'à aujourd'hui, il s'est écrit des textes en prose, relativement brefs en général, que l'on pouvait lire comme on lisait des poèmes, en prenant garde à des détails de mélodie que le vers avait rendus perceptibles. D'autres critères, assez flous, sont évidemment en cause : il existe des motifs, des images, des tons, que l'on retrouve dans certaines proses et dans certains textes en vers. Mais l'aspect de technique musicale, si l'on peut dire, n'est pas le moins important. Mallarmé, qui a lui-même pratiqué le poème en prose, suggérait que « vers il y a sitôt que s'accentue la diction, rythme dès que style ».

Lectures

En relativisant la notion de régularité, la pratique des poètes modernes a contribué à attirer l'attention sur des phénomènes souvent subtils que les classiques connaissaient sans doute, mais dont ils ne parlaient guère. On ne peut nier désormais que, dans les poèmes, les phénomènes de variation ne soient au moins aussi importants que les phénomènes de répétition. On se rend compte également que la perception globale de la structure poétique est insuffisante : on n'a pas tout dit, du point de vue métrique, sur un poème, lorsqu'on a identifié les types de vers qu'il utilise et les schémas de rimes qui s'y rencontrent ; un poème se construit à l'aide de quelques points remarquables, de détails saillants, de contrastes. On se persuade enfin que les phénomènes métriques importants ne sont pas obligatoirement susceptibles d'une interprétation sémantique simple.

L'analyse du poème suppose l'analyse de sa syntaxe, que les poètes traitent comme un élément musical. Rompus à la rhétorique, c'est-à-dire à l'art oratoire, les classiques le savaient bien : une phrase a une mélodie. Sa construction syntaxique lui impose des arrêts, des reprises, des mouvements ascendants et descendants de l'intonation. Même dans la prose, on utilise ces particularités ; on construit des périodes, pourvues d'une culmination et d'une chute ; on répète, en variant les mots, des figures grammaticales plus ou moins complexes.

Si la diction classique a été, pour autant que nous puissions nous en faire une idée, si monotone, c'est parce que le vers se modelait sur la phrase. C'est aussi parce que, dans les grands genres comme la tragédie, la poétique exigeait une unité de ton qui ne permettait guère les contrastes. On se demande pourtant ce que Racine a pu apprendre à cette comédienne de métier qu'était la Champmeslé, si ce n'est un art de varier.

Les choses ont changé au XIXe siècle, et il existe encore des comédiens qui sont prêt à tout sacrifier à l'expression ; le vers les gêne. Cherchant l'intonation naturelle, ils se fient, pour obtenir la variété, au sens de leur texte ; un discours fortement articulé les sert, car il est vrai que les « mais », les « donc » et autres mots de liaison ont une valeur musicale, en ce qu'ils déterminent des changements de ton. Chez des professionnels médiocres ou chez des amateurs mal exercés, cette technique de l'immersion dans le sens produit souvent une certaine monotonie.

La poésie moderne exige autre chose. Le ton méditatif qu'emploie la plupart des diseurs devient rapidement insupportable s'il n'est pas constamment varié par le recours à des méthodes trop souvent ignorées ou méprisées. Au lieu de s'en remettre à son sentiment, un diseur doit pouvoir contrôler sa voix, connaître ses différents registres, maîtriser son débit, son intensité. La voix monte et descend, s'amplifie et s'assourdit ; le débit s'accélère ou se ralentit. L'art peut aller beaucoup plus loin que le jeu sur ces trois variables. Mais ce jeu est peut-être indispensable. Il sert à construire des contrastes, progressifs ou brutaux ; à déterminer des temps forts et des temps faibles ; à reproduire, à répéter des figures mélodiques ou rythmiques. A la base de toute interprétation, se trouve une analyse métrique et syntaxique.

Le mot « interprétation » n'est pas ici employé au sens de la critique littéraire ; il ne s'agit nullement de produire du discours autour du texte, de découvrir des significations d'abord inaperçues (exercice utile) ou d'en importer du dehors (exercice plus douteux). On parle de l'interprétation d'un musicien ; le mot désigne alors l'ensemble des nuances, des *tempi*, des variations de vitesse et d'intensité que l'interprète construit à partir de la <partition, ensemble de signes abstraits.

Il est vrai que le poème tend à devenir de plus en plus un objet graphique. Certains textes ne peuvent plus être lus à haute voix ; beaucoup ne s'y prêtent qu'au prix d'une certaine transformation : comment transposer dans la voix, par exemple, les différences entre caractères, majuscules contre minuscules, italique contre droit ? Mallarmé qui a ouvert la voie au poème purement typographique avec son « Coup de dés » disait pourtant que de ce poème résultait, pour qui voulait dire, une « partition ».

C'était sa manière propre de répondre à l'appel que Verlaine avait lancé vingt ans plus tôt, appel qui a été entendu par toute l'Europe, de Madrid à Moscou, appel qui crée peut-être la poésie moderne :

De la musique avant toute chose.

Bibliographie

I. Ouvrages théoriques et méthodologiques

BARTHES Roland,

Le Degré zéro de l'écriture, Paris, Le Seuil, 1953 (repris dans la collection « Points », 1972).

BLANCHOT Maurice,

L'Espace littéraire, Paris, Gallimard, 1955.

Le Livre à venir, Paris, Gallimard, 1959.

COHEN Jean,

Structure du langage poétique, Paris, Flammarion, 1966.

DERRIDA Jacques

L'Écriture et la différence, Paris, Le Seuil, 1967.

La Dissémination, Paris, Le Seuil, 1972.

Signéponge, Paris, Le Seuil, 1988.

DUCROT Oswald et TODOROV Tzvetan,

Dictionnaire encyclopédique des sciences du langage, Paris, Le Seuil, 1972.

GENETTE Gérard,

Palimpsestes, Paris, Le Seuil, 1982.

GLEIZE Jean-Marie,

Poésie et figuration, Paris, Le Seuil, 1983.

GREIMAS Algirdas,

Essais de sémiotique poétique, Paris, Larousse, 1972.

HENRY Albert,

Métonymie et métaphore, Paris, Klincksieck, 1971.

JAKOBSON Roman,

Essais de linguistique générale, Paris, Minuit, 1963.

Questions de poétique, Paris, Le Seuil, 1973 (repris partiellement sous le titre *Huit questions de poétique* dans la collection « Points », 1977).

JAUSS H.R.,
Pour une théorie de la réception, Paris, Gallimard, 1978.

JOHNSON Barbara,
Défigurations du langage poétique, Paris, Flammarion, 1979.

KRISTEVA Julia,
La Révolution du langage poétique, Paris, Le Seuil, 1974.

LACAN Jacques,
Écrits, Paris, Le Seuil, 1966.

MOUNIN Georges,
La Communication poétique, Paris, Gallimard, 1980.

RICHARD Jean-Pierre,
L'Univers imaginaire de Mallarmé, Paris, Le Seuil, 1961.

RICŒUR Paul,
La Métaphore vive, Paris, Le Seuil, 1975.

RIFFATERRE Michaël,
La Production du texte, Paris, Le Seuil, 1979.
Sémiotique de la poésie, Paris, Le Seuil, 1983.

SARTRE Jean-Paul,
Qu'est-ce que la littérature ?, Paris, « Idées », Gallimard, 1964, (1re édition, 1947).

STAROBINSKI Jean,
Les mots sous les mots, Paris, Gallimard, 1971.

TODOROV Tzvetan,
Poétique, Paris, Le Seuil, 1973.

ZUMTHOR Paul,
Introduction à la poésie orale, Paris, Le Seuil, 1983.

II. Ouvrages de critique et d'histoire littéraire

ABASTADO Claude,
Expérience et théorie de la création poétique chez Mallarmé, Paris, Minard, 1970.

BÉNICHOU Paul,
Le Temps des prophètes. Doctrines de l'âge romantique, Paris, Gallimard, 1977.

DÉCAUDIN Michel,
La Crise des valeurs symbolistes, Toulouse, Privat, 1960.

FAUCHEREAU Serge,
Expressionnisme, dadaïsme, surréalisme et autres -ismes, Paris, Denoël, 1976, 2 volumes.

NADEAU Maurice,
Histoire du surréalisme, Paris, Le Seuil, coll. « Points », 1972 (1re édition, 1948).

RICHARD Jean-Pierre,
Onze études sur la poésie moderne, Paris, Le Seuil, 1964.

III. Œuvres poétiques du XIXe siècle

On se réfère à la « Bibliothèque de la Pléiade », Paris, Gallimard, pour : BAUDELAIRE, HUGO, LAMARTINE, LAUTRÉAMONT, MALLARMÉ, NERVAL, RIMBAUD, SAINT-JOHN PERSE, VALÉRY, VIGNY.

DELVAILLE Bernard,
La Poésie symboliste, Anthologie. Paris, Seghers, 1971.

IV. Recueils poétiques du XXe siècle

ALBIACH Anne-Marie,
Mezza voce, Paris, Flammarion, 1984.

APOLLINAIRE Guillaume,
Alcools, Paris, Poésie-Gallimard, 1971.
Calligrammes, Paris, Poésie-Gallimard, 1970.
Le Poète assassiné, Paris, Poésie-Gallimard, 1980.

ARAGON Louis,
Le Fou d'Elsa, Paris, Gallimard, 1963.
Le Paysan de Paris, Paris, Gallimard, 1926.
Le Roman inachevé, Paris, Poésie-Gallimard, 1966.
Les Yeux d'Elsa, Paris, Seghers, 1942.

ARTAUD Antonin,
Œuvres complètes, Paris, Gallimard, 1956-1988.

BONNEFOY Yves
L'Arrière-pays, Genève, Skira, 1972. (Repris en « Champs-Flammarion », 1982).
Entretiens sur la poésie, Neuchâtel, La Baconnière, 1981.
Le Nuage rouge, Paris, Mercure de France, 1977.
Poèmes, Paris, Poésie-Gallimard, 1982 (Préface de Jean Starobinski).
La Présence et l'image, Paris, Mercure de France, 1983.
Rue Traversière, Paris, Mercure de France, 1977.
Traité du pianiste, La Révolution la nuit, 1946.
BRETON André,
L'Amour fou, Paris, Gallimard, « Folio », 1978, (1re édition, 1937).
Anthologie de l'humour noir, Paris, Livre de poche, 1970.
La Clé des champs, Paris, 10/18, 1973.
Manifestes du surréalisme, Paris, Gallimard, « Idées », 1972, © J.J. Pauvert.
Martinique charmeuse de serpents, Paris, 10/18, 1973.
Nadja, Paris, Gallimard, « Folio », 1975 (1re édition, 1928).

Point du jour, Paris, « Idées », Gallimard, Paris, 1934.
Signe ascendant, Paris, Poésie-Gallimard, 1968.
Le Surréalisme et la peinture, Paris, Gallimard, 1980.

CENDRARS Blaise,
Du monde entier, Paris, Poésie-Gallimard, 1962, © Denoël.

CÉSAIRE Aimé,
Cahier d'un retour au pays natal, Paris, Bordas, 1947.

CHAR René,
Œuvres complètes, Paris, Pléiade, Gallimard, 1983.
Ralentir travaux (écrit avec Breton et Éluard), Paris, Éditions surréalistes, 1930.

CLAUDEL Paul,
Œuvre poétique, Paris,Mercure de France, 1957.
Théâtre I, Paris, Mercure de France, 1967.

DEGUY Michel,
Poèmes II, 1970-1980, Paris, Poésie-Gallimard, 1986.

DES FORÊTS L.R.,
Le Bavard, Paris, 10/18.

DESNOS Robert,
Corps et biens, Paris, Poésie-Gallimard, 1968.

DU BOUCHET André,
Dans la chaleur vacante, Paris, Mercure de France, 1961.

DUPIN Jacques,
L'Embrasure, précédé de *Gravir*, Paris, Poésie-Gallimard, 1971.

ÉLUARD Paul
Au rendez-vous allemand, Paris, Minuit, 1976 (rééd.).
Derniers poèmes d'amour, Paris, Seghers, 1967.
Poésie et Vérité, Paris, Gallimard, 1942.
La Vie immédiate, Paris, Poésie-Gallimard, 1967.

EMMANUEL Pierre
Sophia, Paris, Le Seuil, 1973.
Tombeau d'Orphée, Paris, Seghers, 1946.

ESTEBAN Claude,
Dans le vide qui vient, Paris, Maeght, 1976.
Le Nom et la demeure, Paris, Flammarion, 1985.

FOURCADE Dominique,
Xbo, Paris, P.O.L., 1988.

FRÉNAUD André,
Il n'y a pas de paradis, Paris, Poésie-Gallimard, 1967.
Les Rois Mages, Paris, Poésie-Gallimard, 1977 (1re édition, 1943).

GUILLEVIC Eugène,
Terraqué, Paris, Gallimard, 1942.
Étier, Paris, Gallimard, 1979.

Euclidiennes, Paris, Gallimard, 1967.
Inclus, Paris, Gallimard, 1973.
Ville, Paris, Gallimard, 1969.
Vivre en poésie, Paris, Stock, 1980.

GUYOTAT Pierre,
Eden, Eden, Eden, Paris, Gallimard, 1970.

HÉBERT Anne,
Poèmes, Paris, Le Seuil, 1960.

HOCQUARD Emmanuel,
Album d'images de la villa Harris, Paris, Hachette-Littérature, 1978.

JABÈS Edmond,
Le livre des marges, Paris, Le Livre de poche, « Pluriel », 1987.

JACCOTTET Philippe,
Poésie 1946-67, Paris, Poésie-Gallimard, 1971.

JACOB Max,
Les Œuvres burlesques et mystiques de frère Matorel, Paris, Gallimard, 1912.

JAMMES Francis,
De l'Angelus de l'aube à l'Angelus du soir, Paris, Poésie-Gallimard, 1971 (1re édition, 1914, Mercure de France).

JOUVE Pierre Jean,
Œuvres complètes (Poésie-Prose), Paris, Mercure de France, 1988, 2 vol.
Tombeau de Baudelaire, Paris, Le Seuil, 1958.
Défense et Illustration, Neuchâtel, Ides et Calendes, 1946.

LA TOUR DU PIN Patrice (de),
Une Somme de poésie, Paris, Gallimard, 1946 puis 1981.

LEIRIS Michel,
Aurora, Paris, « L'Imaginaire », Gallimard.

MICHAUX Henri,
La Nuit remue, Paris, Gallimard, 1948.
Épreuves exorcismes, Paris, Gallimard, 1949.
Émergences Résurgences, Genève, Skira, 1972.
Chemins cherchés chemins perdus, *Transgressions*, Paris, Gallimard, 1981.

NOËL Bernard,
Poèmes, 1, Paris, Flammarion, 1983.

OSTER Pierre,
Les dieux, Paris, Gallimard, 1970.

OU.LI.PO,
Littérature potentielle, Paris, « Idées », Gallimard, 1973.

PÉRET Benjamin,
Le Déshonneur des poètes, Paris, Pauvert, 1965 (1re édition, 1945).

PONGE Francis,
Le Peintre à l'étude, Paris, Gallimard, 1948.
Pour un Malherbe, Paris, Gallimard, 1965.
Entretiens avec Philippe Sollers, Paris, Gallimard/Seuil, 1970.
Pièces, Paris, Poésie-Gallimard, 1971.
La Fabrique du Pré, Genève, Skira, 1971.

PRÉVERT Jacques,
Paroles, Paris, Gallimard, 1945, (rééd. 1972).

QUENEAU Raymond,
L'Instant fatal, Paris, Poésie-Gallimard, 1966.

RÉDA Jacques,
Amen. La Tourne. Récitatif, Paris, Poésie-Gallimard, 1988.
Hors les murs, Paris, Gallimard, 1982.
L'Improviste, Paris, Gallimard, 1980.

REVERDY Pierre,
Nord-Sud, Paris, Flammarion, 1975.

ROCHE Denis,
Eros énergumène, Paris, Le Seuil, 1968.
Le Mécrit, Paris, Le Seuil, 1972.
Notre antéfixe, Paris, Flammarion, 1978.

ROMAINS Jules,
La Vie unanime, Paris, Poésie-Gallimard, 1979 (1re édition, 1911).

ROUBAUD Jacques,
E, Paris, Gallimard, 1967.
La Vieillesse d'Alexandre, Paris, Maspéro, 1978.

ROYET-JOURNOUD Claude,
Le Renversement, Paris, Gallimard, 1972.
La Notion d'obstacle, Paris, Gallimard, 1978.
Les Objets contiennent l'infini, Paris, Gallimard, 1983.

SENGHOR Léopold Sédar,
Poèmes, Paris, Le Seuil, 1984.

STEFAN Jude,
A la vieille Parque, Paris, Gallimard, 1988.

SOUPAULT Philippe,
Les Champs magnétiques (écrit avec Breton), Paris, Poésie-Gallimard, 1971.

TARDIEU Jean,
Le Fleuve caché, Paris, Poésie-Gallimard, 1968.

TORTEL Jean,
Arbitraires espaces, Paris, Flammarion, 1987.
Le Discours des yeux, Marseille, Rejâon-ji, 1982.
Limites du regard, Paris, Gallimard, 1971.
Les Solutions aléatoires, Marseille, Rejâon-ji, 1983.

TZARA Tristan,

Lampisteries, Sept Manifestes Dada, Paris, Pauvert, 1963.

Œuvres complètes, Paris, Flammarion, 1975-1982, 5 vol.

Le Surréalisme et l'après-guerre, Paris, Nagel, 1966 (1re édition, 1947).

VARGAFTIG Bernard,

La Véraison, Paris, Gallimard, 1972.

V. Divers

ALLEM Maurice,

Anthologie poétique française. XVIIe siècle, Paris, « G/F ».

ARISTOTE,

La Poétique, Paris, Le Seuil, 1980.

BATAILLE Georges,

La Littérature et le mal, Paris, «Idées », Gallimard, 1957.

BÉHAR Henri et CARASSOU Michel,

Le Surréalisme. Textes et débats, Paris, Le Livre de poche, 1984.

DAVENSON Henri,

Le Livre des chansons, Neuchâtel, La Baconnière, 1946.

FREUD Sigmund,

Le Mot d'esprit et ses rapports avec l'inconscient, Paris, « Idées », Gallimard.

MESCHONNIC Henri,

Critique du rythme, Lagrasse, Verdier, 1982.

NADEAU Maurice,

Documents surréalistes, Paris, Le Seuil, 1948.

PAZ Octavio,

Point de convergence, Paris, Gallimard, 1976.

PLATON

Le Cratyle, in *Œuvres complètes*, Paris, La Pléiade, Gallimard.

« LE PRÉCLASSICISME »,

N° spécial de la revue *Les Cahiers du Sud*, 1952.

ROUSSEL Raymond,

Comment j'ai écrit certains de mes livres, in *Œuvres complètes*, Paris, Pauvert, 1963-1965.

SUD

N° spécial « Yves Bonnefoy », série « Colloques de Cerisy », Marseille, 1985.

Index

A

Albiach A.M., 120
Apollinaire G., 70, **73-75**, 87, 112, 160, 167, 169, 171, 172
Aragon L., 24, 77, 81, 84, 89, 91, 92, 97, 98, 105, 122, 156, 167, 168
Aristote, 11, **13-15**, 17, 30
Arp H., 69
Artaud A., 39, 81, 102, 118

B

Ball H., 64, 69, 72, 112
Banville Th. de, 45
Barthes R., 21, 26, 110
Bataille G., 107, 120
Baudelaire, 1, 39, **40-45**, 55, 107, 145, 148, 149, 153, 173
Beauduin N., 63
Béhar H., 78
Bénichou P., 5, 37
Benn G., 60
Blanchot M., 39, 116
Boileau, 25, **29-30**, 136
Bonnefoy Y., 23, 24, **105-107**, 122, 155, 156
Bourliouk, 65
Brassens G., 131, 167, 169
Breton A., 2, 7, 25, **77-79**, 101, 102, 105, 119, 127

C

Cadiot O., 123
Carassou M., 78
Cazalis, 49, 52
Cendrars B., 70, 75, 162
Césaire A., 7
Chamfort, 31
Char R., 15, 88, **102-105**, 169, 175
Charles d'Orléans, 133
Chateaubriand R. de, 33
Chénier A., 31
Chlovski, 68
Claudel P., 56, 151, 162, 163, 165, 174
Cohen J., 117
Corneille, 137, 138, 140, 148
Crevel R., 78, 81

D

Deguy M., 5, 20, 30, 120
Delaunay S., 76
Derrida J., 121
Des Forêts L.R., 123
Desnos R., 78, 79, 81, 89, 111

Diderot, 31
Dostoïevski, 83
Dotremont C., 112
Du Bellay, 25, 30, 133
Du Bouchet A., 119
Duchamp M., 79
Duhamel G., 57
Dupin J., 119

E

Éluard P., 19, 81, 88, 97, 98, 102, 105, 119, 122, 139, 148, 149, 169
Emmanuel P., 120, 153, 157, 164, 169
Esteban C., 174, 175

F

Fort P., 56
Fourcade D., 122
Frénaud A., 105
Freud S., 84, 85, 86, 96, 99

G

Ghil R., 56
Gide A., 40
Gleize J.M., 38, 123
Gontcharova N., 65
Grosjean J., 164
Guillevic E., **22-23**, 24
Guyotat P., 123

H

Hébert A., 168
Heckel, 59
Heidegger M., 105, 121
Héraclite, 102
Hocquart E., 121
Homère, 3
Horace, 30
Houssaye A., 44
Hugo V., 9, 34, **95-97**, 138, 146, 147, 148, 150
Huysmans, 56

J

Jabès E., 120
Jaccottet P., 54, **107-108**
Jacob M., 111
Jakobson R., 11, **18-20**, 38
Jammes F., 56, 159, 167
Janco M., 69
Jarry A., 69
Jouve P.J., 42, 45, 98, 99, 103, 119

K

Kahn G., 56
Kandinsky V., 60, 70
Khlebnikov, 20, **65-66**, 68
Kirchner, 59
Klee P., 60
Kroutchenikh, 65, 66

L

Lacan J., 21, 51
Laforgue J., 155, 157, 158
La Fontaine, 29, 137, 140, 143
Lamartine, **33-34**, 35, 38, 119, 137
Larionov, 65
La Tour du Pin P. de, 119, 155
Lautréamont, 22, 47, 69, 93
Leiris M., 105, 123
Lemaire J.P., 120
Longin, 30

M

Magritte R., 95
Maiakovski, 65, 68

Malherbe, 26, 27, 135, 136
Mallarmé S., 2, 5, 23, 39, 49, **53, 54**, 55, 56, 66, 93, 110, 125, 148, 152, 154, 158, 172, 176, 178
Marinetti, **61-64**, 70
Marot, 129, 132
Meschonnic H., 118
Michaux H., 41, 66, 73, 116-117
Mikhaël E., 56
Molière, 137, 138
Moréas J., 54, 56
Morice C., 55
Mounin G., 19
Musil R., 107
Musset A. de, 75, 137

N - O

Nadeau M., 77
Nerval G. de, 39, 87
Nietzsche F., 7, 61, 119, 120, 121
Noël B., 120, 172
Nolde E., 59
Nougé P., 95, 96
Novalis, 5, 72
Novarina V., 123
Oster P., 119

P

Paz O., 119
Pérec G., 75
Péret B., 78, 81, 97, 103
Picasso P., 70, 75, 90
Platon, 13, 110
Ponge F., 25, 26, 27, **114-116**, 118
Prévert J., 112
Prigent C., 118

Q

Queneau R., 5, 66, 75, 113, 152, 157, 169
Quinet E., 37
Quintillien, 14, 30

R

Racine, 26, 29, 139, 143, 144, 177
Réda J., 10, 120
Régnier H. de, 54, 158
Renard J.C., 120
Retté, 56
Reverdy P., 90; 91, 119
Richard J.P., 119
Ricœur P., **13-18**
Riffaterre M., 24, 95, 122
Rimbaud A., 2, 4, 5, 15, 17, 39, 41, **45-48**, 69, 71, 72, 93, 110, 119, 148, 149, 151
Romains J., 57, 62
Ronsard, 129, 130, 133, 135, 136, 142
Roubaud J., 25, 118, 171, 172
Roussel R., 94
Royet-Journoud C., 120, 121

S

Sade, 72, 102
Saint-Amand, 28
Saint-John Perse, 56, 119, 152, 160, 173, 174
Saint-Pol Roux, 85
Sartre J.P., 23, **108-109**
Schönberg A., 60
Schwitters K., 60, 112
Senghor L.S., 7
Sollers P., 119
Soupault P., 77, 84, 89
Starobinski J., 24
Stefan J., 122
Stramm, 60
Stuart-Merrill, 55
Supervielle J., 164

T

Tardieu J., 112
Tasse, 9
Théophile de Viau, 28, 29
Todorov T., 117
Tortel J., 25, 26, 28, 54, 116
Trakl, 60
Tristan, 28
Trotsky L., 97
Tzara T., **68, 73**, 79, 96, 98

V

Valéry P., 56, 77, 106, 110, 151
Vanor, 55
Vargaftig B., 122
Verhaeren E., 60
Verlaine P., 39, 46, 56, 148, 149, 153, 167, 178
Vian B., 112
Vielé-Griffin F., 54, 161, 162
Vigny A. de, 36
Villon F., 132
Virgile, 3
Vitrac R., 89

W - Z

Whitman W., 57, 60, 62
Zola E., 54, 62, 87
Zumthor P., **8, 10**

Imprimerie GAUTHIER-VILLARS, Paris
Dépôt légal, Imprimeur, n° 3294
Dépôt légal : janvier 1990

Imprimé en France